Who Will See Their Shadows This Year?

Jerry Pallotta

SCHOLASTIC INC.
New York Toronto London Auckland
Sydney Mexico City New Delhi Hong Kong

David Biedrzycki

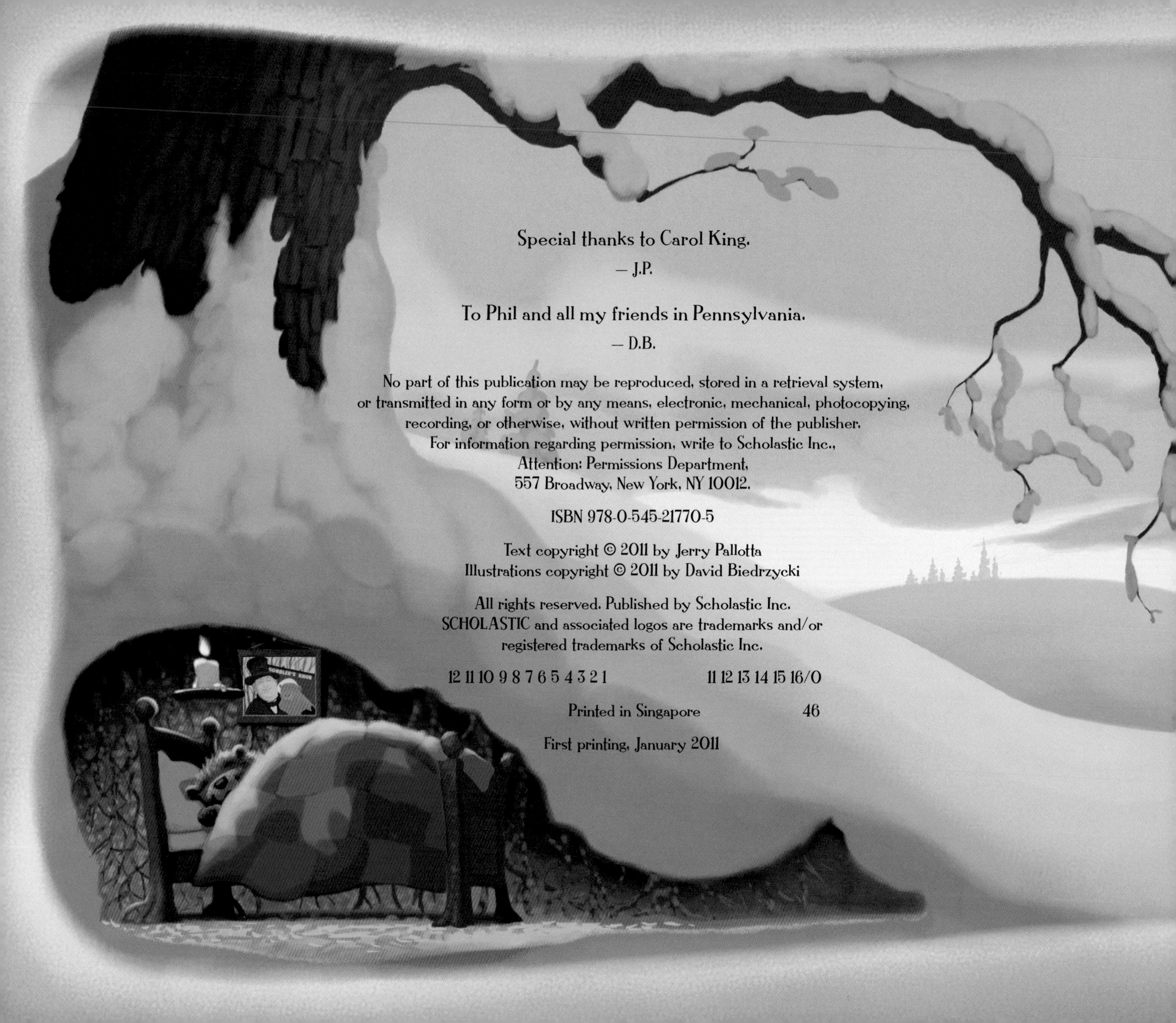

Special thanks to Carol King.

— J.P.

To Phil and all my friends in Pennsylvania.

— D.B.

ISBN 978-0-545-21770-5

12 11 10 9 8 7 6 5 4 3 2 1 11 12 13 14 15 16/0

Printed in Singapore 46

First printing, January 2011

It is February 2. The animals are tired of winter.

If a groundhog casts a shadow, it means six more weeks of winter. But . . . why should the groundhog always be famous?

What about us?

"Let me try my shadow!" says the chicken.

Oops! It causes a rainstorm.

The polar bear tries its shadow.

Its huge shadow causes a blizzard.

The camel tries.

Its shadow starts a sandstorm.

The dog shows its shadow.

Bow wow! It gets foggy.

Will the pig's shadow work?

Oink! It's a hurricane!

When the buffalo shows its shadow . . .

. . . it sleets.

The animals are getting frustrated.

How can we bring spring?

What about a panda shadow?

Ping! Ping! Ping! It starts to hail.

Try a koala shadow.

Gale-force winds! Still no spring.

Maybe the butterfly shadow works.

Hot, sweaty, and muggy.

The ring-tailed lemur swings in to show its shadow.

It gets misty, like in a rain forest.

A peacock shadow might bring spring.

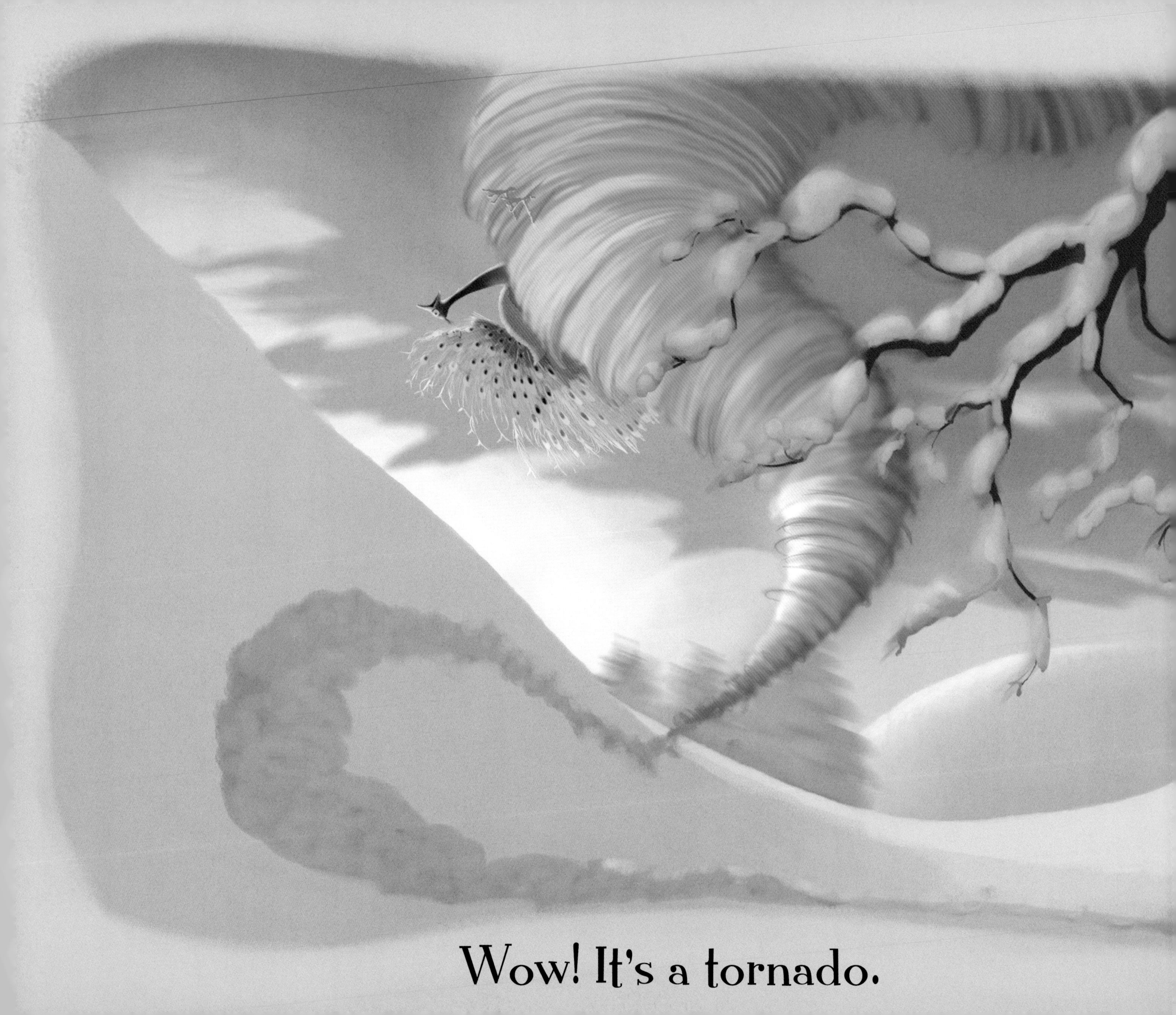

Wow! It's a tornado.

The noise awakens the groundhog.

Look! The groundhog has no shadow!

It's spring! It's spring!

Winter is over! Happy Groundhog Day!

NOUS AUTRES FRANÇAIS

ŒUVRES DE GEORGES BERNANOS

nrf

Saint Dominique
Scandale de la Vérité
Nous autres Français
Lettres aux Anglais
Le Chemin de la Croix-des-Ames
Les Enfants humiliés

—

Chez d'autres éditeurs :

Sous le Soleil de Satan
L'Imposture
La Joie
La grande Peur des Bien-Pensants
Un Crime
Journal d'un Curé de Campagne
La nouvelle Histoire de Mouchette
Les grands Cimetières sous la Lune
Jeanne relapse et sainte
La France contre les Robots
Monsieur Ouine

GEORGES BERNANOS

NOUS AUTRES FRANÇAIS

nrf

GALLIMARD
26e édition

L'édition originale de cet ouvrage a été tirée à cent quarante-cinq exemplaires et comprend: sept exemplaires sur papier de Japon, dont : six exemplaires numérotés de I *à* VI *et un exemplaire hors commerce marqué* A ; *treize exemplaires sur papier de Hollande, dont : dix exemplaires numérotés de* VII *à* XVI *et trois exemplaires hors commerce marqués de* B *à* D ; *trente-cinq exemplaires sur Velin pur fil des papeteries Lafuma Navarre, dont : vingt exemplaires numérotés de* 1 *à* 20 *et quinze exemplaires hors commerce marqués de* a *à* o ; *et quatre-vingt-dix exemplaires sur alfa mousse des papeteries Lafuma Navarre, dont : soixante exemplaires numérotés de* 21 *à* 80 *et trente exemplaires hors commerce numérotés de* 31 *à* 110.

I

Septembre 1938.

Il y a quelque part dans le monde, je le sais, à l'heure où j'écris ces lignes, un jeune Français qui se demande : « Mon pays vaut-il la peine d'être sauvé ? A quoi bon ? »

Dieu me garde de lui répondre ! Car en ce moment même, à des milliers de milles, de l'autre côté de la terre, je me pose la même question. Je me la suis toujours posée. C'est parce que je me la pose que je suis français. Lorsque je ne me la poserai plus, je serai mort. J'aurai bien mérité ce repos.

Il n'y a aucun orgueil à être français, mais beaucoup de peine et de travail, un grand labeur. Quand le soir tombe, la journée faite, le cœur nous manque pour aller danser autour du feu sacré, comme des nègres, en évoquant le Grand Esprit totalitaire, au roulement de mille tambours. La communion avec la force obscure de la Race, que voulez-vous, c'est très joli, mais nous savons trop bien comment finissent ces sortes de messes. Car si les pauvres hommes disposent d'un grand nombre de moyens pour atteindre au paroxysme nerveux, il n'y a qu'une sorte de spasme pour les détendre, rien qu'un, ce n'est pas beaucoup. Tôt ou tard, nous retrouverons ces gens-là couchés dans le sang et la boue, ronflant pêle-mêle, avec les oriflammes et les guirlandes. Au pis aller, nous préférons nous saouler chacun chez nous, avec du vrai vin.

Il n'y a pas d'orgueil à être français. Nous sommes toujours une chrétienté en marche, nous sommes une chrétienté en travail. L'orgueil est le vice de ceux qui se croient arrivés. Nous ne sommes que trop tentés de douter que nous soyons jamais partis. La vie est à la fois si simple et si compliquée, si facile et si difficile. Tant mieux pour le gaillard de grande imagination et de petit esprit, tant mieux pour les échauffés qui s'en font un dieu et l'adorent. L'eau est trop précieuse et le temps aussi, nous ne nous chargerons pas de les éteindre. Qu'ils fument ensemble vers le ciel indulgent, jusqu'à la prochaine averse ! Nous ne voulons connaître que la vie quotidienne et elle nous est aussi familière que les bons arbres de nos champs et les autres animaux domestiques. Elle a été la compagne de notre jeunesse et nous avons fait ensemble nos folies. Ensemble nous vieillirons côte à côte. Et nous la regarderons en mourant, la vieille Mère pensive, nous prendrons honnêtement sa main, pour tâcher de rester tranquilles jusqu'au bout, afin de ne pas troubler le travail d'autrui. Sa main, pleine des secrets de la terre, sa main pécheresse qui n'en finit pas d'expier, depuis le commencement du monde. C'est cette main dure que le Christ a tenue dans les siennes, c'est au creux de cette paume usée qu'il a béni la peine et la joie des hommes, leur patience, leur espérance, leur faim et leur soif de chaque jour, le pain et le vin. Nous ne rougissons pas d'elle, nous ne demandons pas mieux que de l'honorer. Mais il ne faut pas qu'elle nous en fasse accroire, elle n'en sait guère plus long que nous, elle n'est pas meilleure que nous. Elle a la tête plus dure que la nôtre, elle nous fait payer très cher une expérience de qualité douteuse, dont nous ne tirons qu'un petit profit et qui se gâte en vieillissant, comme le mauvais grain. Si nous prétendions lui donner ce qu'elle exige de gratitude, nous n'en finirions pas, elle se moquerait de nous. Elle est cruelle, orgueilleuse, capable de gaspiller en une heure le travail de cent journées. On nous accuse volontiers d'avarice, mais nous sommes moins avares qu'elle n'est prodigue, sa prodigalité nous écœure. Tant pis pour ceux qui trouvent en cette prodigalité monstrueuse un sujet d'exaltation ! Ils la croient pure, alors qu'elle porte en elle le principe de toutes les souillures. Tant pis pour ceux qui la méprisent ! Elle a le secret de toutes les expiations.

Nous ne sommes ni des Allemands, ni des Espagnols, nous ne nous sentons pas plus à l'aise dans la forêt germanique que dans un cimetière castillan brûlé de soleil, hanté d'hommes noirs et tristes, qui sentent le jasmin et le cadavre. Nous aimons mieux être chez nous, dans nos maisons. Chez nous la vie montre son vrai visage, son visage d'aïeule qui rassure nos enfants. Nous la retrouvons à l'aube telle que nous l'avons laissée la veille. Qu'elle aille danser sur la plage, au clair de lune, ou plus loin encore, vers ces villes furieuses, éclatantes, qui s'appellent et rugissent entre elles, toute la nuit, comme des bêtes, nous n'en avons pas de souci. Que dire à cette pécheresse, nous, pécheurs ? Nous faisons semblant de ne pas voir son regard creux, ses lèvres mordues et le peu de fard qui reste à sa joue. Que nous importe! Il y a du travail assez jusqu'au soir pour racheter les fautes de la nuit. Lorsqu'elle se tait, nous ne troublons pas son silence. Lorsqu'elle parle, nous voulons que ce soit dans notre langage, avec des mots éprouvés, des mots dont nous sommes sûrs, aussi sûrs que de nos outils. Car elle a du miel sous la langue, et tout à coup ce miel devient je ne sais quoi, qui tombe sur nos cœurs comme du feu. Nous ne discuterons pas avec elle. — Pourquoi? Comment? Et après? Voilà les formules qu'il faut, et avant que d'être dans la bouche de nos garçons et de nos filles, elles sont déjà dans leurs yeux clairs. Nous posons ces questions à la vie, non dans l'espoir qu'elle y réponde, mais parce que la dignité de l'homme est de les poser. Dieu lui-même se les pose, Il les pose, et y répond d'un même acte, et c'est ainsi que nous nous imaginons la création.

Les peuples fanatiques, au foie engorgé, nous accusent de nier le mystère. Nous ne nions pas le mystère, nous désirons seulement faire la distinction du mystère et du mystérieux, du vrai mystère et de l'inconnaissable ou de l'indéterminé. Nous croyons que c'est un grand malheur de prétendre s'approcher de Dieu non par désir de la lumière, mais par goût de l'obscur, car la Nuit est toujours plus ou moins complice de la part honteuse de nous-mêmes : après tout, ce sont les vierges folles qui laissent éteindre leur lampes. — Pourquoi ? Comment ? Et après ? Ce sont des mots que la vie ne prononce jamais, nous les prononçons pour cela. Et s'ils sont effroyables dans la bouche d'un sot, c'est qu'ils témoignent effroyablement de l'incompréhensible, de la surnaturelle dignité des sots en face de la vie. Le sot qui délibère et juge peut encore attendrir les Anges, il déraisonne dans la pitié de Dieu, comme un petit enfant se soulage dans ses langes. Au lieu que la brute cynique, en extase, qui ahane et se travaille pour entrer dans le grand Tout, consterne la terre et le ciel. Car nous croyons, nous autres, nous autres Français, que la vie est faite pour l'homme et non pas l'homme pour la vie.

Il n'y a pas d'orgueil à être français. Nous savons trop ce qui nous reste à faire, que nous ne ferons peut-être jamais, qui n'est même pas commencé. Ou plutôt nous savons que tout est toujours à refaire et toujours à recommencer. Nous avons été élevés par de trop bonnes mères, trop patientes, trop courageuses, si dures à la besognes, si dures et si douces, avec leurs tendres cœurs vaillants, inflexibles. « On n'en a jamais fini! » disaient-elles. C'est bien vrai qu'on n'en a jamais fini. Quand les jours sont trop courts pour le travail de tous les jours, il n'y a pas de quoi être fiers ! Pour elles comme pour nous, le mot d'*ordre* est un mot simple, un mot de la semaine, ce n'est pas un mot du dimanche. Il n'exalte pas l'imagination, ni ne nous apparaît comme un dieu, descendu des cieux sur la terre, qu'on célèbre par des rassemblements et des chansons. Nous sentons ce mot-là dans nos bras, dans nos épaules, ainsi que la fatigue accumulée des ancêtres, leur sainte patience. La mauvaise herbe repousse à mesure, et si l'homme s'arrêtait une fois dans sa tâche, elle recouvrirait tout. Nous ne haïssons pas la mauvaise herbe, nous ne rêvons pas de l'exterminer. Il nous suffit de la distinguer de la bonne, et c'est un grand plaisir de la regarder avant de prendre la bêche, en crachant dans ses mains. Comme me le disait un jour une vieille paysanne rouée de coups par un compagnon ivrogne et paresseux : « Que voulez-vous, Monsieur, il faut de tout pour faire un monde. » Il faut de tout, même des imbéciles et des paresseux, même des prodigues. Nous regardons ces gens-là dans les yeux, comme des phénomènes et ils nous donnent plutôt envie de travailler. L'ordre n'est pas qu'ils disparaissent, mais que ce qui doit être fait, soit fait, malgré eux. Ils ne représentent, en somme, qu'une faible part, une part presque négligeable des forces hostiles qui détruisent à mesure l'effort de nos bras, vent, pluie, grêle, gelées. Nous ne permettrons pas que les Réformateurs du monde, les Nouveaux Maîtres, entreprennent de les exterminer, par les méthodes rationnelles de la chirurgie sociale : « Qui ne travaille pas n'a pas le droit de manger. » C'est là un axiome fait pour nous, à notre usage, pour la satisfaction de nos consciences. Sitôt dit, nous n'y pensons plus. Nous honorons trop le travail, nous savons qu'un travail qui n'est plus librement accompli est un travail déshonoré. Au fond, nous ne demandons pas mieux que les parasites vivent à nos dépens, il suffirait qu'ils nous disent merci, s'asseoient au bout de la table, en silence. Mais nous ne pouvons absolument pas admettre qu'ils se croient meilleurs que nous, car une telle prétention est contraire à la justice. Bref, nous admettrons tout ce qu'on voudra, sauf qu'il y ait de l'honneur à ne rien foutre. C'est déjà trop que l'homme français, brusquement arraché jadis à la tradition millénaire des hiérarchies de la profession ou de la naissance, ait dû subir plus d'un siècle, au nom de la science et du progrès, l'apothéose d'un type social présentement anéanti, plus démodé aujourd'hui que celui du seigneur féodal, le Rentier-roi, le Rentier-prêtre, le Rentier-dieu.

Il n'y a pas d'orgueil à être français. Nous tirons vanité de beaucoup de choses auxquelles nous ne tenons nullement, et dont le seul avantage est de déconcerter les imbéciles et surtout d'affliger les hypocrites, car le Pharisien semble bien la seule espèce d'êtres vivants que nous puissions réellement haïr. L'hypocrisie ne blesse pas seulement nos consciences. Elle agit puissamment sur nos nerfs, parce qu'elle provoque en nous le mépris, alors que nous étouffons dans le mépris, que le mépris nous intoxique. Nous ne sommes pas une race méprisante. Le mépris nous donne la jaunisse. Or, l'orgueil n'est qu'une forme de l'hypocrisie, ou plutôt c'est l'hypocrisie généralisée, comme le cancer, l'absorption par le mensonge des plus hautes facultés de l'homme, le jugement et la volonté. Les peuples qui se proclament vertueux ne sont encore qu'au premier stade de l'hypocrisie. L'hypocrisie de la grandeur témoigne d'une espèce d'endurcissement à quoi sans doute, il n'est pas de remède. C'est en ce sens que les nations totalitaires nous inspirent un sentiment complexe qui nous paralyse et qu'elles prennent pour la terreur. Elles devraient nous faire rire et nous ne pouvons plus rire, parce que nous y reconnaissons une sorte de grandeur funèbre. Ce n'est pas assez dire qu'elles sont inhumaines. Elles sont démesurées, sans mesure, énormes pour la minuscule part d'humanité qu'elles contiennent et qui va se diminuant chaque jour. Devrons-nous demain faire face à des hommes ou à des insectes géants? Nos pères de la guerre de Cent ans se laissaient jadis impressionner par le terrible « Hurrah ! » des Anglais, qu'ils nommaient d'ailleurs Godons. A ce cri formidable, trois fois répété, scandé par mille poitrines, les pauvres gens, habitués à se battre comme on fait l'amour, deux par deux, front à front, se demandaient si ces diables tenaient ensemble, ne formaient pas qu'une seule bête... Et puis l'Ange de la France, la sage petite bergère du pays de Greux, si « bonne à voir et à entendre », avec sa huque de drap d'or sur son armure blanche, et son regard sans peur, est entrée là-dedans la première. Elle ne se souciait pas plus de ces « hurrah » ! que d'une mirabelle. La France sera toujours sauvée par les enfants.

Il n'y a pas d'orgueil à être français. Au fond de tout orgueil, il y a ce vieux levain d'idolâtrie. Nous ne sommes pas un peuple d'idolâtres. Nous sommes le moins idolâtre de tous les peuples. C'est d'ailleurs pourquoi les idolâtres nous accusent de n'être pas un peuple religieux. Nous ne sommes nullement tentés de diviniser quoi que ce soit. Nous sommes le seul peuple qui en plein délire homicide ait dressé non contre Dieu, mais contre lui-même, ainsi qu'un tragique témoignage de sa folie, un autel à la Raison Universelle. Diviniser la raison n'est peut-être pas un acte d'idolâtrie. Mieux vaut diviniser la Raison que la Nature, ou la Race ; mieux vaut diviniser la Raison que se diviniser soi-même. Nous ne sommes pas un peuple orgueilleux. Nous ne désirons pas d'être craints. La crainte des autres ne nous inspire ni sécurité ni fierté. A toute minute, la crainte peut s'enflammer ainsi que le courage et devenir sous le nom de panique, plus folle que la plus folle témérité. La crainte des autres empoisonnerait notre air et notre pain. Les peuples qui se réconfortent de la terreur qu'ils inspirent nous paraissent travaillés des mêmes démons de la peur. Ils ressemblent à ces vieilles filles qui par zèle pour la vertu, ont toujours le nez dans les draps ou le panier à linge.

Les deux plus puissants ressorts de la grandeur impériale ont été l'avarice et la peur. Chaque nation conquise ajoutant une crainte de plus aux autres craintes, exaltait le réflexe de défense jusqu'à ce que l'immense corps pourri, la moelle fondue, rendît par tous les orifices le sang et l'or. Les petites tantes nationales, qui excitent à travers tant de siècles, la puanteur musquée de ces hommes velus, voudront me convaincre d'injustice envers l'histoire romaine. C'est le signe d'une grande pauvreté d'esprit de prétendre que la puissance d'un peuple se fonde sur les vertus qui font la noblesse de l'homme. La puissance de l'Empire ne réhabilite pas l'homme romain. Que la distraction nationale d'un peuple héritier — quoique indigne — de la plus humaine des civilisations — ait été le cirque avec ses fastes sauvages, il y a là cependant de quoi faire réfléchir même les cuistres. Personne ne songerait à nier que l'étude des sports britanniques n'apporte aux historiens de l'avenir quelque lumière sur la psychologie de l'Anglo-Saxon. Qu'un citoyen d'ailleurs étranger à toute pratique désintéressée d'un sport quelconque, partageant d'ordinaire ses loisirs entre la table et l'étuve ait été le plus souvent possible s'asseoir sur les bancs du cirque et se distraire à toutes ces saloperies, il m'importe peu qu'il ait construit des ponts, des routes, des aqueducs, nous savons qu'il est un porc. L'idée d'enfermer une jeune fille dans un filet pour la voir plus commodément éventrer par un taureau ne peut absolument sortir que de méninges en bouillie.

Je ne parle nullement ainsi pour affliger les professeurs d'humanités, mais parce que l'Empire m'apparaît, précisément comme à eux, ainsi que le type achevé d'un certain ordre de grandeur temporelle. Les dieux d'aujourd'hui ne feront pas mieux, ni de demain. Il n'est inutile d'affirmer qu'un tel ordre de grandeur, en dépit de la propagande scolaire, n'inspire aucun respect aux jeunes Français. L'histoire romaine assomme les jeunes Français. Parmi les livres innombrables écrits pour l'amusement ou l'exaltation des jeunes Français, il n'en est pas un seul à retracer les aventures des fils de Romulus. Ce fait peut rester ignoré parce que la plupart des tâcherons de lettres qui passent pour exprimer, aux yeux de l'étranger, l'opinion nationale, sont d'anciens « forts en thème », fiers de leur qualité de « secondaires ». Pauvres diables ! On ne trouverait pas un petit Français sur cent, sur mille qui n'ait fait des vœux pour Annibal et l'éléphant Gétule, pris du contrepoison avec Mithridate, pouffé de rire avec les Gaulois, au nez des sénateurs chauves. Le nom de Rome évoque instantanément la silhouette obèse de Néron, les cuisses épilées d'Héliogabale ou le cheval de Caligula. Ce parti pris n'est pas si absurde qu'on pense. Un petit Français bien né va d'instinct non pas aux institutions, mais à l'homme, juge une civilisation par l'homme qu'elle a formé. Il ne supporte pas dans celle-ci la disproportion du mérite au prestige. — Que ce petit Français soit capable ou non d'exprimer un tel jugement — qui n'est d'ailleurs pas le sien, mais celui de ses aïeux, une sorte de réflexe héréditaire — qu'importe ? Qu'importe s'il ignore la distinction essentielle entre la puissance et la gloire pourvu qu'il se défie de l'une et souhaite l'autre, de toutes les forces de son cœur ?

Il n'y a pas d'orgueil à être français. Nous aimons trop la gloire. Faute de gloire, nous nous contentons très bien, hélas ! d'une vie tranquille et douce éclairée par la sympathie, comme nos paysages par un ciel délicat, rayé du tendre argent de l'averse. « Les Français aiment la gloire » disait Bonaparte, et il n'est pas sûr que ce Corse de sang génois, encore plus politique que soldat, ait donné à ce mot de gloire le même sens que ses grenadiers. Comme tous ceux de sa race, il méprisait les hommes. Qui méprise les hommes ne saurait aimer la gloire, car c'est d'eux que nous la tenons, et elle vaut ce qu'ils valent, après tout. Il n'est pas de gloire sans admiration, pas de véritable admiration sans amour, ni d'amour sans liberté. Cette forme de grandeur qu'on dit impériale n'a besoin ni d'admiration ni d'amour. Nous n'avons jamais été, nous ne serons jamais, grâce à Dieu, un peuple impérial. Lorsqu'il écrit ces choses, apparemment si banales, un Français peut poser la plume, se recueillir un moment, en silence. On voudrait traduire sa rêverie par quelques phrases un peu triviales car c'est ainsi que nous avons coutume d'exprimer entre nous ce qui doit rester impénétrable aux indifférents ou aux étrangers. L'idée que nous formons de la gloire, si nous réussissions par impossible à l'enfermer dans une de ces définitions logiques dont nous ne sommes que trop prodigues, nous justifierait devant tous, ferait connaître à tous avec le secret de notre vocation temporelle, celui des desseins de Dieu sur notre nation. Mais un Français n'aime pas prononcer le nom de gloire sans sourire, il l'engage trop gravement, lui rappelle d'une manière trop pressante le devoir qui nous incombe et pour quoi nous sommes nés. Il préfère parler d'elle comme de l'amour, avec cette grimace hélas ! un peu canaille, qui déconcerte les pharisiens. Qand nous disons gloire, l'étranger parvenu, le manant couronné, l'esclave armé jusqu'aux dents, traduisent instantanément : Puissance, Richesse, Domination. Aussitôt les hommes pieux, nous invitent à mépriser ces vanités. Que répondre ? Nous savons bien que la gloire à laquelle nous pensons n'est ni vanité, ni mensonge. Nous le savons, mais cette conviction n'est malheureusement pas de celles qu'un Français quelconque puisse justifier en face des théologiens, des moralistes, des politiques ou des philosophes. Dès qu'il évoque ce mot sacré, il est dans le sanctuaire de sa race, à l'abri sous les vastes voûtes et ses pieds de brave homme foulent — parfois, hélas ! à son insu — les dalles de pierre qui protègent ses morts. Il se trouve bien là-dedans, il est chez lui, soit, mais il s'ennuie un peu, il tourne sa casquette entre ses doigts, il a honte de montrer ces vieilles pierres aux étrangers qui construisent des bâtiments, si modernes, si confortables... Non ! Ah ! non, non certainement, il n'y a pas d'orgueil à être français.

Nous tenons au passé par des liens plus forts et plus étroits que ceux d'aucune autre nation, mais ils restent pour nous invisibles. Les nations conservatrices se croient plus fidèles que nous parce qu'elles se passent de génération en génération, ainsi que des curiosités respectables, des bibelots de famille, la perruque du lord-maire ou celle du bourgmestre, des traditions que nul ne discute. A quoi bon les discuter ? En quoi gênent-elles ? Il est vrai que nous n'avons pas ce sens du passé qui d'ailleurs se confond en Angleterre avec le sens de l'humour. Nous ne sommes pas portés à croire que nous nous concilierons les morts, par ces sortes d'égards dont les gens du monde, entre eux, sont prodigues, ni par des familiarités. Nous ne nous jugeons pas quittes envers le passé parce que nous le traitons de « bon vieux temps », avec une indulgence protectrice. Si nous le diffamons parfois, c'est à la manière qu'un chrétien blasphème. Ce passé ressemble trop à notre propre conscience, il est notre conscience même.

Par la grâce de Dieu, les révolutions successives et l'effort des politiciens ont fait bon gré, mal gré, de notre patriotisme une religion sans rites, un culte dépouillé, où la part de l'habitude est réduite à l'extrême. Il y a un honneur français, nous le savons ; mais il n'informe plus les institutions ni les lois, il n'a plus d'établissement temporel, nous gardons sa tradition en nous-mêmes moins pour en pratiquer toujours les règles que pour en tirer la plupart de nos propos sur les hommes, car il est comme la mesure de notre jugement moral. Nous ne nous flattons pas de valoir ce qu'il vaut, nous ne l'invoquons pas volontiers contre autrui. C'est un trait bien remarquable de notre psychologie que, conscients de nos différences, nous répugnons à en tenir compte, comme si elles devaient nécessairement témoigner contre nous. Comme nous répétons volontiers par politesse « qu'un homme en vaut un autre » nous disons aussi bien que notre honneur en vaut un autre. C'est pourquoi les journalistes italiens de langue française, qui font la loi dans la presse nationale, peuvent impunément soutenir que les campagnes coloniales ne diffèrent pas entre elles, que la conquête de l'Ethiopie honore autant la nation bâtarde qui l'a faite que la nôtre celle du Congo, par le cher Savorgnan de Brazza, seulement armé de sa trousse médicale, ou la pacification du Maroc, par Lyautey, le dernier des seigneurs français.

Aussi les moralistes et les bigots ont beau jeu quand ils nous prêchent le détachement de la gloire. Qu'ont-ils à faire avec notre gloire, imbéciles ! « Que sert à l'homme de gagner l'univers s'il vient à perdre son âme. » On a beau se dire que tous les chemins sont bons qui mènent à Dieu, il est difficile de ne pas sourire en pensant qu'une telle phrase, incessamment répétée, a pu faire de l'officier de Pampelune, un saint. Qui de nous, farceurs, songe à conquérir l'univers. Quelle drôle de conception de la gloire ! Il n'est que trop facile, sauf la grâce de Dieu, d'imaginer, l'espèce de réception, que le gentilhomme castillan, sec comme un sarment, jaune comme la bile, hanté par la mort et l'enfer, eût faite à Jeanne d'Arc, si la pauvre bergerette fût née assez tard pour lui confier ses projets ambitieux. Délivrer Orléans, mener le dauphin jusqu'à Reims, jeter les godons à la mer, vanité des vanités ! — Tenir tête aux docteurs, faire des réponses insolentes à l'Inquisiteur de la Foi, s'en « remettre à Dieu plutôt qu'aux gens d'Eglise », tenir la parole donnée, s'instituer juge de la légitimité des princes, quand le Saint-Siège lui-même se garde de prendre parti, quelle présomption sacrilège ! Cette présomption est la nôtre. Ce n'est pas aux gens d'Eglise qu'a été confié l'honneur français. Si nous avions jamais pensé faire de l'honneur français l'une des vertus théologales, les gens d'Eglise auraient beau jeu contre nous, non sans raison. Mais l'honneur ni la terre française n'ont pas été commis à la garde des gens d'Eglise, notre terre et notre honneur ne font qu'un. A nous ce temporel ; à pleines mains ! Que ce soient là des biens périssables, nous l'accorderons volontiers. Que nous en chaut ? que nous en chaut qu'ils soient périssables, puisque Dieu nous a faits aussi mortels et qu'il ne dépendra toujours que de nous de mourir avant eux ?

Il n'y a pas d'honneur à être français, nulle gloriole. Et qu'on veuille bien me permettre une fois de le dire, dans le même sens : il n'y a pas non plus d'honneur à être chrétien. Nous n'avons pas choisi. « Je suis chrétien, révérez-moi » s'écrient à l'envi les Princes des Prêtes, les Scribes et les Pharisiens. Il faudrait plutôt dire humblement : « Je suis chrétien, priez pour moi ! » Nous n'avons pas choisi. Lorsqu'on a déjà tant de mal à être français, le moindre retour complaisant vers nous-mêmes, le plus furtif regard jeté sur l'abîme des siècles qui, à notre droite et à notre gauche, nous sépare des aïeux, risque de nous donner le vertige. Quoi ! nous sommes déjà si loin, si seuls ? Ils ne peuvent plus nous entendre, le cri d'angoisse que nous jetterions vers eux, serait à l'instant pris sur nos lèvres, englouti. Eh bien ! ne crions pas, serrons les dents. Gardons-nous de mesurer la largeur de la route. Ce que nous tentons aujourd'hui, d'autres le firent, en leur temps, en leur lieu, et ils n'en savaient pas plus long que nous. Qu'une nation naisse et demeure, ce n'est qu'un miracle de Dieu, un doux miracle. Nous sommes dans cette grande aventure, parce que Dieu nous y a mis. Au fond de nos cœurs, nous aurions probablement préféré qu'on nous laissât tranquilles, qu'on ne nous parlât jamais, un jour de notre enfance, un jour entre les jours, un jour comme les autres, alors que nous attendions confusément on ne sait quel prodige, une voix si simple, d'un accent si humble, si quotidien, avec l'accent de notre province natale, une voix à peine distincte des autres voix familières, qui nous disait : « Tu es français. Et maintenant marche, mon bonhomme, va de l'avant, ne t'arrête pas. Je t'expliquerai après. Tu me retrouveras à l'heure de la mort. Et à ce moment-là, regarde-moi bien en face : je ne te faillirai pas, mon garçon... »

II

Il y a quelques semaines je partais pour le Paraguay, ce Paraguay que notre dictionnaire Larousse, d'accord avec le Bottin, qualifie de Paradis Terrestre. Je n'ai pas trouvé là-bas le Paradis Terrestre, mais je sens bien que je n'ai pas fini de le chercher, que je le chercherai toujours, que je chercherai toujours cette route perdue, effacée de la mémoire des hommes. J'appartiens probablement de naissance à ce peuple de l'attente, à la race qui ne désespère jamais, pour laquelle le désespoir est un mot vide de sens, analogue à celui de néant. Et c'est nous qui avons raison ! Lorsque j'avais dix ans, des Messieurs très sages et généralement décorés, éprouvaient le besoin de me souffler à la figure l'odeur de leur cigare en feignant de s'attendrir sur les charmantes illusions de l'enfance. Hé bien ! le temps est venu pour moi de m'attendrir sur les leurs. Je vois le monde qu'ils ont fait, j'y ai vécu, j'y vis encore et la seule disgrâce à laquelle je ne me résigne pas est d'y mourir. Mais il mourra peut-être avant moi.

De telles paroles, lorsqu'on les comprend mal, me font souvent passer pour un révolté. Or je ne suis nullement un révolté. Je crois fermement que dans sa vie privée comme dans sa vie publique, un homme digne de ce nom doit d'abord accepter honnêtement, virilement, les conditions particulières qui lui sont imposées par son milieu et par son temps. Le simple catéchisme auquel il faut toujours revenir dès qu'on veut rentrer dans le bon sens, échapper aux doctrinaires de l'un ou l'autre bord, aux Bêtes à Morale et aux Bêtes à Statistique, nous enseigne qu'un chrétien doit, n'importe où Dieu l'ait placé, « *faire son salut* ». Faire son salut, se sauver. Il y aura toujours, hélas, un certain nombre de chrétiens pour donner à cette expression le sens de « sauve qui peut ! » — « Tirons-nous de là comme nous pourrons ! » Mais un chrétien ne se sauve pas seul, il ne se sauve qu'en sauvant les autres. J'ai connu un vieux militaire retraité, tombé dans la dévotion comme un vieux bourdon d'arrière-saison dans un pot de miel. Venu trop tard à la religion pour se résigner facilement aux études élémentaires indispensables, habitué par son ancienne profession à résoudre les problèmes d'un point de vue extrêmement concret, il avait entrepris de noter sur un registre, chaque soir, le total des indulgences gagnées au cours de la journée, trente jours par-ci, cinq cents par-là. Il était arrivé au bout de peu de mois à un total impressionnant, d'autant que son expérience lui permettait de choisir les combinaisons les plus avantageuses, évitant les pertes de temps et dédaignant les petits profits. Par bonheur, il eut l'idée de faire vérifier sa comptabilité par un religieux que je connais bien aussi et qui, après l'avoir doucement sermonné, jeta au feu son livre de comptes.

On va dire encore que, en racontant cette histoire, je fais du tort aux vrais dévots. On disait déjà cela du temps de Molière. Les vrais chrétiens disposent d'un moyen très efficace de se distinguer des autres, ils n'ont qu'à pratiquer la charité, celle du cœur, la seule que Tartuffe ne puisse feindre, car s'il est capable de faire l'aumône, il ne sait pas aimer. Le don de soi-même est un témoignage assez éclatant de la vérité qu'on prétend servir. Et puis quoi ! Mieux vaut que cent dévots passent pour Tartuffes, qu'un seul Tartuffe pour dévot. Car, dans le premier cas, l'erreur ne saurait compromettre que l'honneur de cent chrétiens. Au lieu que l'imposture d'un seul Tartuffe engage l'honneur même du Christ.

Je répète qu'en énonçant des vérités aussi simples, à la portée de n'importe qui, je ne me crois nullement un révolté. Il y a dans l'esprit de révolte un principe de haine ou de mépris pour les hommes. Je crains que le révolté ne soit jamais capable de porter autant d'amour à ceux qu'il aime que de haine à ceux qu'il hait. Les vrais ennemis de la société ne sont pas ceux qu'elle exploite ou tyrannise, ce sont ceux qu'elle humilie. Voilà pourquoi les partis de révolution comptent un si grand nombre de bacheliers sans emploi. Je n'ai aucun sujet d'animosité personnelle contre la société, et si je souhaite qu'elle se réforme ou qu'elle périsse, ce vœu est parfaitement désintéressé. A vrai dire, elle a rempli mon attente, car l'idée ne m'est pas venue de lui demander ce qu'elle ne saurait me donner, l'honneur et le bonheur. Elle dispense les décorations et l'Académie, je ne désire ni les unes ni l'autre. Quant à la fortune, n'en parlons pas : Je suis absolument incapable de m'enrichir sous n'importe quelle espèce de régime. Je crois donc avoir respecté les règles du jeu. J'ai même eu la coquetterie d'élever six enfants à une époque où les pères de famille méritent plus que jamais le titre insolite que leur décernait Péguy, lorsqu'il les appelait « ces grands aventuriers du Monde moderne ». N'est-il pas un peu comique de m'entendre traiter de dangereux perturbateur par de graves personnages comme si je n'avais moi-même rien à défendre ? Ils parlent de cette société comme de leur chose parce qu'ils lui ont donné à garder des monnaies de papier dont la spéculation règle le cours. Et moi, ce que je confie à la société, ou du moins ce que je vois, avec angoisse, se dissiper peu à peu entre ses mains, ce sont des valeurs spirituelles qui n'ont, grâce à Dieu, pas cours au marché des banques mais qui gagent en réalité toutes les autres et sans lesquelles les solennels imbéciles qui me critiquent ne seraient rien.

Ils ont sans cesse le mot d'ordre à la bouche. Quel ordre? Il y a un ordre chrétien. Notre ordre est un ordre de justice. Je prie les incrédules de bien vouloir un moment ne considérer que le principe même de cet ordre, d'oublier les échecs répétés de sa réalisation temporelle. Cet ordre est celui du Christ, et la tradition catholique en a maintenu les définitions essentielles. Quant au soin de sa réalisation temporelle, il n'appartient pas aux théologiens, aux casuistes, aux docteurs, mais à nous chrétiens. Or, la plupart des chrétiens paraissent absolument oublier cette vérité élémentaire. Ils croient que le royaume de Dieu se fera tout seul, pourvu qu'ils obéissent aux règles morales communes d'ailleurs à tous les honnêtes gens, se gardent de travailler le dimanche (si toutefois les affaires n'en souffrent pas trop), assistent le même jour à une messe basse et par-dessus tout respectent les ecclésiastiques, c'est-à-dire obéissent aux conseils de prudence dont les gens d'Eglise sont naturellement prodigues, s'efforcent enfin d'ignorer ou même nient effrontément ce qui pourrait « faire le jeu de l'adversaire ». Autant dire qu'à la guerre une armée répond assez à l'attente de la nation si les hommes en sont bien astiqués, marchent au pas derrière la musique et saluent correctement leurs supérieurs.

Je dis, je répète, je ne me lasserai pas de proclamer que l'état présent du monde est une honte pour les chrétiens. Le sacrement de baptême leur a-t-il été conféré simplement pour leur permettre de juger de haut, avec mépris, les malheureux incrédules qui, faute de mieux, poursuivent une entreprise absurde, s'efforcent inutilement d'instaurer, par leurs propres moyens, un royaume de justice sans Justice, une chrétienté sans Christ ? Nous répétons sans cesse, avec des larmes d'impuissance, de paresse et d'orgueil que le monde se déchristianise. Mais le monde n'a pas reçu le Christ — *non pro mundo rogo* — c'est nous qui l'avons reçu pour lui, c'est de nos cœurs que Dieu se retire, c'est nous qui nous déchristianisons, misérables ! Je sais que de tels propos me vaudront, une fois de plus, certaines honorables rancunes. Que m'importe ! Si j'avais, depuis douze ans, écrit des romans, où à l'exemple de tel ou tel, j'eusse soigneusement dosé l'adultère, ceux qui me censurent me traiteraient sans doute avec honneur, et je pourrais m'asseoir bientôt dans un fauteuil de l'Académie Française, entre un Maréchal et un Cardinal, aux applaudissements des Bien-pensants. Ils vont répétant qu'on exige d'eux des vertus inaccessibles au commun des hommes, alors qu'on ne leur demande rien sinon de reconnaître publiquement ce qu'ils sont, des médiocres tout pareils aux autres, ou qui ne s'en distinguent que par l'absurde, la sacrilège prétention d'appartenir à la part choisie, privilégiée de notre espèce, quand l'Evangile proclame à chaque page l'inefficacité de la Foi sans les œuvres, et la justification universelle des hommes de bonne volonté. C'est cette prétention que le monde hait en nous. Il n'y a plus de peuple de Dieu au sens où l'entendaient les Juifs, lorsqu'un mauvais Juif pouvait se croire supérieur à un bon Goy incirconcis. Le chrétien médiocre est plus méprisable qu'un autre médiocre, tombe plus bas, de tout le poids immense de la grâce reçue. Encore les Juifs infidèles subissaient le châtiment d'un cœur plus humble que le vôtre. Ils acceptaient parfaitement de voir en Nabuchodonosor l'instrument de la colère divine, au lieu que vous tenez vos persécuteurs pour de simples suppôts de Satan et les persécutions pour un témoignage infaillible de vos mérites et de vos vertus. Vous vous rengorgez dans le sang des martyrs comme si le sang des martyrs ne coulait que pour vous, alors qu'il ne coule trop souvent que par vous. Au point que si demain, par impossible, la perfection de vos méthodes, l'ardeur de vos milices sportives, la discipline de vos formations para-militaires et par-dessus tout l'appui — hélas, non désintéressé — de toutes les gendarmeries de la terre, interrompaient cette mystérieuse effusion, vous assurant, avec le libre usage des biens de ce monde, le paisible exercice d'une médiocrité devenue sans risque, le nom même de chrétien n'aurait bientôt plus qu'une signification historique.

Je ne méprise pas la force. Je trouve même un peu ridicules les philosophes pour lesquels ce mot évoque instantanément l'image du militaire. Ces messieurs ne refuseraient pas d'examiner objectivement le cas de l'usurier juif, par exemple, dont l'échoppe, au centre d'un village russe ou maure, me paraît non moins meurtrière qu'une mitrailleuse. Que l'usurier soit assommé par ses débiteurs affamés, on dira qu'il a été victime de la force. Mais le moujik russe qui se pend, après avoir vu vendre, au profit de l'usurier, son propre bien, est aussi une victime de la force, car dans l'immense entreprise de l'extermination du faible — d'ailleurs indestructible — qui se poursuit de millénaire en millénaire, la ruse est assurément la forme la plus efficace de la force. Bien loin de sentir aucun mépris pour l'espèce de puissance dont l'épéc est le symbole, je puis dire à la face de certains hommes d'Eglise qui la dédaignaient jadis aux mains des princes légitimes et la vénèrent aujourd'hui dans celles d'un aventurier galicien deux fois parjure, que je l'honore. Elle n'est nullement l'emblème de la force brutale, du moins pour les hommes d'Occident. Elle est celui de la chevalerie, le signe de l'honneur chevaleresque, et il n'y a tout de même aucun paradoxe à écrire qu'un tel esprit n'a rien de commun avec Machiavel et le réalisme latin. Au temps où les hommes bardés de fer, redoutables à cheval, étaient par terre aussi inoffensifs qu'une tortue enfermée dans sa carapace, n'importe quel militaire réaliste aurait commencé par tuer le cheval. D'où vient que ce geste si conforme au génie pratique, était alors tenu pour ignoble ? Lorsqu'un frère du Temple prêtait serment de ne pas tourner le dos devant moins de trois païens, il faisait mieux qu'égaliser les chances entre lui et ses adversaires, il triplait volontairement son propre risque comme si la loi de l'Epée, bien loin d'être celle de la force brutale s'exerçant avec le maximum d'efficacité possible, ou même celle du simple « fair play », ne trouvait son achèvement que dans cette loi plus haute du dépassement, du surpassement de la nature, qui est la règle de tout héroïsme spirituel. Je ne prétends pas que les chevaliers du Temple aient toujours raisonné comme je viens de le faire, je soutiens seulement qu'aucun homme de bonne foi ne saurait donner le même nom à des types humains aussi différents que celui du chevalier occidental et du mercenaire romain, de Saint-

Louis et de Jules César, de Coleoni et de Jeanne d'Arc. Qu'à l'aube des temps modernes, l'ancienne chrétienté militaire expirante se soit reconnue une dernière fois dans Bayard, ce fait devrait suffire à fermer la bouche aux cuistres qui se refusent à des distinctions nécessaires, prennent pour l'épée de l'Archange l'ombre d'un bâton sur un mur. Je ferai donc ces distinctions sans eux.

Lorsqu'on m'apprend que, quelque part dans le monde, l'Eglise fait appel au soldat pour sa défense, j'ai parfaitement le droit de me dire intéressé à ce grave événement, soit comme soldat, soit comme chrétien. L'Eglise fait rarement appel au soldat. Que cet appel soit légitime aux yeux du théologien, cela ne m'importe guère, car je ne suis pas théologien. Après tout l'Eglise ne saurait négliger le recours aux moyens humains et il m'apparaît pour le moins aussi normal de s'adresser au soldat qu'au banquier. Dans ce dernier cas, la prudence conseillerait de s'assurer de la solvabilité du banquier. Il ne serait pas moins indispensable de prendre par avance quelques informations sur l'espèce de guerre qu'on va bénir. Je ne dispose d'aucune autorité pour juger le manifeste des évêques espagnols et je ne me laisserai pas d'ailleurs entraîner à des controverses dont la subtilité rappelle fâcheusement les discussions rabbiniques. Les mêmes docteurs qui trouvaient encore trop indulgentes les censures contre le duel et traitent volontiers d'assassin le pauvre homme qui croit naïvement défendre son honneur dans un combat loyal, couvrent aujourd'hui de huées, quiconque s'élève contre la violence, renvoient ce rêveur, avec de gros rires, à l'hôpital le plus proche, afin d'y faire soigner ses nerfs. Ils n'auront pas cette peine avec moi. Je ne suis ni objecteur de conscience, ni démocrate, ni pacifiste, ni même végétarien. Je voudrais n'exprimer ici qu'un petit nombre d'idées simples. On a vu beaucoup de cruelles injustices dans le monde depuis des siècles, et voilà bien longtemps pourtant que les gens d'Eglise n'avaient solennellement approuvé le recours à la violence. Pour une fois qu'ils se décident à bénir la guerre, il est permis de regretter que cette bénédiction tombe précisément sur une forme nouvelle et très suspecte de la guerre. La guerre totale moderne, en effet, avec ses méthodes d'extermination, risque de poser bientôt un grave problème à la conscience du soldat. Alors qu'aucun chef n'eût jamais prétendu imposer jadis à un subalterne, au nom de la discipline, le métier d'espion réservé à des volontaires, l'obéissance suffira-t-elle à justifier demain le massacre des femmes et des enfants par des moyens auxquels on ose à peine songer, qui dégoûtent jusqu'aux expérimentateurs de laboratoire ? Dans sa hâte à venir en aide au général Franco, l'épiscopat espagnol semble n'avoir pas attaché beaucoup d'importance à ce point de vue. N'est-il pas étrange que des gens d'Eglise aient été si vite en besogne quand les soldats eux-mêmes hésitent à conclure ? La prudence ecclésiastique est-elle moins scrupuleuse que l'honneur militaire ?

On trouvera ces paroles imprudentes. Elles sont moins imprudentes que le silence. Pour moi, je suis las de m'entendre traiter de pacifiste parce que je refuse d'incliner la tradition militaire de mon pays devant un pronunciamento. Il est vrai que l'opinion française paraît aujourd'hui encore — bien qu'infiniment moins qu'hier — divisée sur la question espagnole. Lorsque les haines sociales — nées de la peur — seront enfin apaisées, on verra que cette division était plus apparente que réelle. N'importe quel petit garçon de mon pays, heureusement encore ignorant des haines politiques, refuserait de donner le nom de soldat à un général assez malheureux pour avoir trahi deux régimes et qui depuis 25 mois dévaste sa propre patrie à la tête de bandes partisanes, de mercenaires à demi sauvages et d'étrangers. On aura beau qualifier modestement « d'excès regrettables » le massacre des prisonniers, l'achèvement des blessés, la collaboration de la troupe et des policiers dans la besogne d'épuration de l'arrière, nous savons, nous, que les excès d'une armée ont un caractère bien différent, qu'une armée qui présente de tels symptômes n'est pas réellement une armée, quel que soit le courage individuel de ceux qui la composent. Je ne crois pas inutile que la France rappelle au monde dans le langage et avec la sensibilité qui lui sont propres, ces vérités élémentaires, auxquelles tous les théologiens et les moralistes ensemble ne sauraient rien retrancher. Elles sont humaines. Elles ne peuvent s'exprimer que dans un langage humain. C'en est assez pour qu'elles exaspèrent ceux qui ont mis leur espoir dans une sorte d'ordre inhumain, qui dépasse la mesure de l'homme. Mais nous savons, nous, que ce que le Christ est venu sauver, c'est l'homme et non le surhomme.

Quand je me dis royaliste, je comprends très bien que cette déclaration paraisse absolument dépourvue d'intérêt aux aimables Argentins qui voient seulement en elle l'affirmation d'une préférence politique, aussi indifférente en soi que le serait, par exemple, la confession de mon goût pour la chasse ou l'équitation. On oublie ce que représente pour nous la tradition monarchique. C'est quelque chose que mon pays ait vécu mille ans sous ce régime ! Mais, en vérité, il n'a pas vécu seulement sous ce régime; le régime et le pays sont nés ensemble. Le pays s'est formé avec lui, de sorte que l'histoire du régime est sa propre histoire — l'histoire des institutions, des lois, des mœurs de l'ancienne France que l'on appelle par ailleurs très injustement la « Vieille France », et qui se trouve presque intacte dans la France actuelle. La sensibilité française, en 1789, était déjà formée depuis longtemps, et cent cinquante ans d'apparente réaction contre le passé ne suffisent pas à modifier profondément nos réactions morales, notre conception particulière du devoir, de l'amour, de l'honneur. De sorte que le rythme profond de notre vie intérieure n'est en rien différent de celui d'un contemporain de Louis XVI. En ce sens, on peut dire que tous les Français sont monarchistes comme moi. Ils le sont sans le savoir. Moi, je le sais.

Je ne l'ai jamais mieux su qu'en Espagne. La sensibilité de ce grand peuple est certainement très différente de la nôtre. Là où nous nous efforçons de persuader pour convaincre, son premier ou peut-être son unique mouvement est de contraindre. Quand il exerce cette contrainte contre lui-même, court le risque de s'anéantir, je ne puis m'empêcher de le juger. Je me révolte dès qu'on veut me forcer à croire, dès qu'on veut me faire partager le rêve tragique d'une unité religieuse conquise ou reconquise par le fer et par le feu. Je vénère, comme vous tous, ces Christ espagnols si bizarrement déchirés. Mais ils sont bien où ils sont. Je ne les désire pas dans une église française. Nous avons chacun notre christ, mais l'Evangile nous est commun. Que ce livre sacré, le seul bien des hommes, leur seul héritage véritable en ce monde, ne soit couvert que du sang des Martyrs ! Nous ne voulons pas, sur la page blanche, immaculée, des Béatitudes, le sang noir des suppliciés.

III

Mars 1939.

Nous comprenons maintenant la raison des campagnes menées depuis tant de mois contre la Tchécoslovaquie maçonnique. A présent que ma curiosité se trouve satisfaite, ou plutôt comblée, je puis décidément prendre congé d'un petit nombre d'anciens amis dont j'essaierai désormais d'oublier le nom. Qu'ils se gardent, à l'avenir, de me le rappeler.

Pour la première fois, je déplore mon obscurité, ma pauvreté. Je voudrais pouvoir parler à mon pays sans tomber dans le ridicule, lui parler en un autre nom que le mien: « Français!... » dirais-je. Mais à peine achevé d'écrire ce mot magnifique, je ne puis m'empêcher de rire de moi. Pour parler à la France, il faudrait au moins que je fusse mort.

Je crains que mon pays ne se laisse empoisonner par la honte, il n'y a rien de plus toxique que la honte, la honte ne se résorbe pas, il est indispensable de la rejeter, de la vomir. Que chaque Français se mette les doigts dans la bouche ! Il y a bien des manières de s'habituer à la honte, la meilleure est d'y penser sans cesse, de la remâcher, de la ruminer dans son cœur : « Nous sommes trahis », dites-vous. Hé bien, si vous n'êtes pas en état d'exécuter les traîtres, ne ruminez pas leur trahison. Leur trahison n'est rien. C'est notre honneur qu'il nous faut refaire. Il nous faut refaire notre honneur. Notre honneur ne nous sera pas rendu par un coup de dés heureux. « Mais nous ne sommes pas déshonorés, nous autres ! » Que vous importe ? L'honneur français n'est pas seulement la somme des honneurs de tous les Français vivants. Il faut refaire un honneur français. Cela n'ira pas sans travail ni patience et non plus sans humilité. Ne montrez pas au monde votre orgueil écorché vif, grimaçant de tous les muscles à nu, avec des yeux blancs sans paupière — vous feriez rire ! Quand un homme né de bonne mère s'est rendu complice d'une saleté, il recommence tout, il s'engage à la Légion. C'est le plus court. Votre orgueil ne s'en tirera pas avec de la pommade et de la charpie. Attendez dans la souffrance et l'humilité qu'il vous en repousse un autre, un autre honneur.

Le but de M. Hitler n'est visiblement pas de nous dégrader aux yeux du monde, mais à nos propres yeux, de nous dégoûter de nous-mêmes. C'est pourquoi il ne nous permet pas de respirer depuis Munich, il ne nous laisse pas le temps de cuver la honte; il redouble, il insiste. Il sait parfaitement qu'il ne nous fait pas peur, que nous n'avons pas peur des coups. Il attend seulement que nous ayons assez macéré dans un certain jus, que nous ne nous sentions plus assez propres pour nous battre. C'est un homme qui nous connaît bien, qui nous a regardés en face, jadis, dans nos Ardennes ou nos Flandres. Lorsque nous avons renié notre signature, il ne s'est pas détourné discrètement pour nous permettre de quitter la place : « N'auriez-vous pas oublié quelque chose sur la table, mon ami ? — Quoi donc ? — Votre parole d'honneur. Faites-moi donc le plaisir de venir la reprendre et n'oubliez pas de m'en signer le reçu. *Auf wieder sehen !* » A ce régime-là, il paraît que les Anglais prennent du poids. Il nous donne, à nous, envie de nous tuer, non de tuer les autres.

(C'est d'ailleurs dans le même esprit qu'un garçon d'échaudoir galicien, déguisé en général, fait faire antichambre depuis deux semaines au maréchal Pétain. Lorsqu'il ne restera de l'ancien commandant en chef des armées françaises qu'un petit tas facile à recueillir dans le képi de ce militaire, nous serons de nouveau à point, nous serons mûrs.)

Nous subissons la honte, alors qu'il faudrait accepter courageusement l'humiliation. Elle est pour nous irréparable. Il ne nous servirait donc absolument à rien d'en appeler à la France d'hier ou de demain, comme si nous avions des droits sur le passé ou sur l'avenir. Nous sommes la France d'aujourd'hui, et c'est cette France-là que les dictateurs traitent en putain. Je répète que cette ignominie n'est irréparable que pour nous. Nous en porterons tous la responsabilité devant l'histoire. Nos gémissements ne désarmeront nullement l'histoire, non plus d'ailleurs que nos malédictions. A quoi bon tenter sournoisement d'intervertir les rôles ? Ce n'est pas nous qui désespérons de la France, c'est la France qui désespère de nous.

Pour la France, le diktat de Munich est une défaite. Il n'est une honte que pour nous. N'importe quel pays, si noble qu'on le suppose, risque un jour ou l'autre d'être contraint par la force à se rendre aux conditions du vainqueur. Cette fois le pays s'est rendu, mais nous, nous nous sommes donnés. Le 30 septembre, aux Champs-Elysées, on a entendu ce qu'on n'avait jamais entendu, qu'on n'entendra plus jamais chez nous : le *Te Deum* des lâches, couvrant toutes les Marseillaises. Malheur aux petits Français qui ont été faits cette nuit-là...

C'est une grande disgrâce que la France n'ait plus de roi. Mais c'est un malheur cent fois pire que, ayant échangé son nom chrétien, son nom de baptême, son nom de vivante, contre celui de Nation, emprunté au patois des Intellectuels, elle appartienne aux Nationalistes. La Patrie aux patriotes, c'est très exactement l'Eglise aux bigots, cela devait finir par un désastre. Que les patriotes soient de bonnes gens, le fait n'importe guère, la Patrie des bonnes gens, valant à mes yeux le Dieu des bonnes gens, c'est-à-dire rien, moins que rien, une niaiserie. Encore peut-on souffrir ou mourir pour une niaiserie. Promu à la dignité de nationaliste, le petit patriote moyen s'est vu ouvrir les horizons vertigineux de la Science Politique. L'espèce de Patrie à laquelle il identifiait naïvement sa propre personne, avait au moins le mérite de lui ressembler. On l'a détourné de cette innocente imagerie, et la France qu'on lui propose est si compliquée qu'il ne comprend plus rien, qu'il ne cherche même pas à comprendre.

J'ai assisté, avant la guerre, comme tout le monde, à ces revues de music-hall, qui se terminaient en apothéose patriotique, deux cents filles culottées de rouge, agitant des sabres de fer-blanc, autour d'une Alsace-Lorraine vêtue de noir. Il n'y avait pas là de quoi être fier, évidemment. Mais, enfin, le petit patriote venu à

« Ba-ta-clan » le samedi soir, avec sa dame, pour y déguster une cerise à l'eau-de-vie, vous ne l'auriez pas emmené à Munich, moi je vous le dis. Le dernier noyau de cerise lui serait resté dans la gorge. La France qu'il imaginait était sans doute aussi moyenne que lui, mais il ne lui eût pas permis ce qu'il se défendait à lui-même, il n'aurait pas voulu qu'un traité signé d'elle eût exactement la valeur d'un chèque sans provision. Aujourd'hui le même petit patriote, devenu nationaliste, rougirait d'être à ce point sentimental. Il a lu M. Maurras comme son grand-papa lisait Voltaire, et bien incapable de se hisser jusqu'à ces hautes spéculations du génie de la science, il attend de M. Maurras qu'il règle ses rapports avec la Patrie comme M. de Voltaire réglait ceux de son grand-père avec le dieu des Philosophes. C'est ainsi que se réalise peu à peu la singulière opération mentale que les psychanalistes appellent le transfert. C'est bien à M. Maurras que Bouvard et Pécuchet s'en remettent pour acquérir, au prix d'un abonnement, un amour lucide de la France, une connaissance rationnelle, expérimentale, des intérêts français. Malheureusement, il se fait que M. Maurras, au nom de l'imaginaire Pays Réel, a toujours raison contre la France, qui fait ainsi, aux yeux de Bouvard et de Pécuchet, figure d'imbécile. Depuis trente ans, chaque matin, la France, son petit cartable sous le bras, un peu pâle, grimpe l'escalier de la rue de

Verneuil, s'asseoit timidement devant ce célibataire en savates, pour s'entendre dire qu'elle ignore tout de son métier, qu'elle ne sait ni A ni B. Chaque matin, depuis trente ans, depuis trente ans chaque matin, la pauvrette en repassant la porte, surprend le même haussement d'épaules découragé, présage de la colle dominicale. On voudrait qu'un jour — après un commentaire du Coup de Force, par exemple — la malheureuse ait fini par crier à ce vieillard inépuisable en discours : « Puisque tu veux que je ne sois à personne, prends-moi donc, au moins, impuissant ! » A quoi le professeur eût sans doute répondu, en rajustant ses bretelles : « Je ne suis pas ici pour vous prendre, Madame, mais pour faire votre instruction.»

Je puis bien écrire tout à mon gré le nom de M. Ch. Maurras. On ne me reprochera pas d'accabler un vaincu. Tout le monde sait que la réception du grand écrivain à l'Académie va s'achever en apothéose. Une fois de plus, j'essaierai encore de parler de lui sans bassesse : je ne le crois nullement dupe de ce triomphe. Il sait parfaitement que l'accord fait autour de son nom, depuis la campagne d'Ethiopie, s'il exalte sa personne, trahit amèrement son destin. Un homme tel que lui ne saurait se faire illusion sur le rôle qu'il tient auprès de gens qui n'ont pas lu ses livres, ne les liront jamais, se servent de sa pensée comme d'un alibi. Nous admettrions volontiers que cette pensée fût l'alibi des conservateurs imbéciles. Mais les événements de septembre comme ceux de mars, nous apportent l'assurance qu'elle est aussi celui des lâches. Nous ne supporterons pas ce scandale.

De toutes ses forces, de tout son pouvoir, de toute son éloquence exaltée par des haines personnelles, jadis vivantes, aujourd'hui décomposées, riches de tous les poisons de la vieillesse, M. Ch. Maurras s'est efforcé de distraire la conscience de mon pays dans le moment même où ce que nous avions d'amis dans le monde attendait de nous, à défaut de quelque révolte de l'honneur, du moins le signe visible du remords. Que la France ait été ou non en mesure de se battre, je l'ignore et je n'en déciderai pas. J'observerai néanmoins que le jugement du généralissime sur ces jours de malheur est aujourd'hui connu. J'accuse seulement M. Ch. Maurras d'avoir alors donné le ton à la presse dite nationale, et j'affirme que ce ton était abject. Les plus déterminés pacifistes ne refuseront tout de même pas de convenir qu'on peut livrer un allié sans éprouver encore le besoin de lui cracher à la figure ? Cette attitude comblait les vœux de M. Hitler. Il importe beaucoup moins à M. Hitler d'occuper Prague que de mettre la parole de la France au-dessous de rien : « Voyez, disait-il, non seulement ces négroïdes renient leur parole, mais ils s'en vantent, et leur jeunesse est secouée par la rigolade. » — « Me faire abîmer pour les Tchèques, tu te rends compte ? Les va-t-en-guerre au poteau ! » La Pologne répondait justement hier à ces Messieurs : elle déclarait souhaiter, pour se rendre aux désirs des Démocraties, une garantie plus substantielle que la double signature de la France et de l'Angleterre.

Nous ne demandons pas à la génération de

l'après-guerre — celle qui compte aujourd'hui trente et quelques années — d'être héroïque. Vaille que vaille, elle remplit sa tâche, je veux dire qu'elle bouche un trou, un trou dans l'histoire de France. On ne saurait exiger du bon Dieu qu'il donne tous ses soins à la fabrication des bouche-trous. Du moins puis-je honorer, dans cette génération malheureuse, celle de demain, que je ne connaîtrai pas, mais dont j'ai salué l'avènement au premier chapitre de la *Grande Peur*. Vous ne vouliez pas la guerre, soit. La guerre était impossible, je le veux bien. Contre l'opinion du général Gamelin, je veux bien accorder à M. Ch. Maurras que la fabrication hâtive de quelques centaines d'avions balance pour nous la perte de la Tchécoslovaquie, l'établissement des Italiens aux Baléares et en Espagne, l'absorption de la Roumanie, l'achèvement de la ligne Siegfried et la perte de notre prestige. Il est vrai que lorsqu'on nous aura lié les pieds et les mains, nous devrons payer très cher, le plus cher possible, d'Ajaccio ou de Tunis, la neutralité de M. Mussolini, et la presse nationale aura enfin atteint son but, elle rentrera enfin dans le giron de la Latinité — Qu'elle y reste et qu'elle y crève !

Au fond nous comprenons parfaitement ces Messieurs. Trop compromis par le sabotage de Genève et des sanctions, la conquête de l'Abyssinie, la victoire du général Franco, il leur faut maintenant coûte que coûte, quoi qu'il nous en coûte, réussir le coup de l'alliance italienne, ou finir à la caponnière de Vincennes, à l'Académie de la caponnière. Qu'importe. Notre capitulation était un malheur, je leur reproche d'en avoir fait une saleté. Que voulez-vous ? Il fallait bien qu'ils ménageassent leur amour-propre en face d'un public peu sûr qui, d'un moment à l'autre, pouvait les descendre à coups de pied de leur perchoir. Il fallait que M. Maurras continuât de jouer les Scylla ou les Taciturne devant sa bonne. Il fallait surtout éviter les désabonnements. Ce qui fait que la France n'a parlé nulle part le langage qu'on attendait d'elle : « J'ai commis une mauvaise action. Je la réparerai un jour. Je fais le serment de la réparer. Il est possible que j'aie eu tort de créer l'Etat tchèque, mais il est absolument certain que je me suis parjurée. Je ne mettrai pas sur le même plan, je ne compenserai pas l'un par l'autre, une erreur et un parjure. Même si, par impossible, je finissais par tirer quelque avantage de cette friponnerie, je ne m'en croirais nullement quitte. Car il est vrai que la politique est la science des faits. Mais j'existe, moi, France, pour maintenir à la face des voyous que l'honneur d'un peuple, lui aussi, est un fait. »

Nous affirmons — et n'importe quel Français à l'étranger l'affirmerait comme nous — que l'abandon de la Tchécoslovaquie a moins révolté que nos grimaces. Le cynisme n'est pas à la portée de n'importe qui, et le nôtre puait tour à tour le cuistre et le goujat. Vous me direz que nous ne pouvions pas tout ensemble sourire et serrer les fesses sans manquer de naturel. — On voit ce sourire aux vieux messieurs très dignes, rencontrés par hasard à la sortie d'un bordel. Il est incroyable qu'on l'ait observé cette fois au visage de tant de jeunes Français.

Sur l'affaire d'Ethiopie comme sur l'affaire d'Espagne, sur les événements de septembre comme sur ceux de mars, la jeunesse française a raisonné comme un avoué véreux, senti comme un laquais, pour agir finalement comme un grec. J'affirme que cela n'est pas normal. M. Ch. Maurras doit au fond penser ainsi que moi sur ce point. Nous différons pourtant sur l'essentiel, car j'ajoute, moi, que le premier corrupteur, c'est lui.

On ne comprend rien à M. Maurras dès qu'on juge l'homme par l'œuvre car l'œuvre n'est pas l'homme. C'est pour lui, pour sa propre sécurité, que l'auteur de *l'Enquête* a construit ce vaste système défensif, dont il est à la fois le maître et le prisonnier. Sa doctrine ne l'exprime nullement, elle s'efforce seulement de le justifier, elle travaille inlassablement à fermer toutes les brèches par où nous pourrions pénétrer jusqu'à sa personne, jusqu'à sa vérité profonde, cachée soigneusement à tous, et probablement, hélas, oubliée de lui-même. Sa doctrine le définit comme les théologiens définissent Dieu, non par ce qu'il est, mais par ce qu'il n'est pas. Ainsi échappe-t-il à toute prise de l'adversaire, auquel il oppose aussitôt quelque formule de son dictionnaire. Sa prodigieuse intelligence mise au service de disciplines impitoyables, décèle infailliblement l'articulation délicate du vrai et du faux, du juste et de l'injuste, et c'est là même qu'il prend position, avec le moindre risque, car on ne saurait le déloger sans compromettre tout l'édifice. Il est certain, par exemple, que naturalisme et catholicisme s'excluent, mais le naturalisme politique de M. Maurras trouve avec une sagacité merveilleuse et dans le langage même de la philosophie catholique des définitions si savamment dosées que la semence d'erreur n'y saurait être décelée que par un fort grossissement, que M. Maurras dénonce aussitôt comme une déformation substantielle de sa pensée, une interprétation malveillante.

Et peut-être le croit-il en effet. Car ses adversaires, jadis, n'ont pas épargné le scandale à cette âme douloureuse et fermée, dont la plaie tarie depuis l'enfance ne semble plus capable de donner une goutte de sang. Au cours d'un duel féroce, dont tout chrétien garde le souvenir, nous savons que plus d'un adversaire, incapable de forcer la garde de ce rude jouteur, n'a pas hésité à empoigner son épée de la main gauche. Je le demande aujourd'hui à ces démocrates chrétiens que les petites tantes nationales du *Jour* et de *Je suis partout* se permettent de me donner comme coreligionnaires ou comme alliés, et qui avouaient tranquillement l'autre jour, dans leur style emprunté aux mandements de Carême, les faux, volontaires ou non, de S. E. le cardinal Andrieu — à quoi diable a servi leur apologie partisane d'une condamnation qui aurait dû se suffire à elle-même, trouver en elle-même, tôt ou tard, sa propre justification? Mais les gens d'Eglise sont ainsi. On veut bien être inspiré de l'Esprit Saint, à condition toutefois de partager avec la Troisième personne de la Sainte Trinité les honneurs de la clairvoyance. Ainsi a-t-on scandalisé jusqu'à l'os, jusqu'à la moelle de l'os, d'honnêtes gens que M. Ch. Maurras maintenait le nez sur ce que *Temps Présent* appelait l'autre jour, avec sa modestie habituelle : « des erreurs matérielles ayant parfois l'aspect de véritables abus de confiance intellectuels » — maintenait le nez sur l'erreur de fait comme le matador tient contre un mince carreau de laine rouge toute la force d'un toro de corrida. Contrairement à ce qu'imaginent les sacristains, ce n'est pas l'esprit d'orgueil qui fit se serrer alors autour du chef rebelle de vieux soldats au cœur simple ou des jeunes filles héroïques, telles que la dédicataire de mon *Saint Dominique* qui ne dut qu'à la compassion d'un vrai prêtre de ne pas mourir dans le désespoir, et voulut être ensevelie avec sa médaille de jeune fille d'Action Française, épinglée sur sa pauvre chemise : « Nous céderions sur tout, disaient-ils à l'envi, mais nous ne reconnaîtrons pas une erreur de fait. » Tragique méprise, dont Dieu sera juge, d'avoir dressé l'un contre l'autre ce qu'aucun cœur français ne saurait disjoindre, l'obéissance et l'honneur. Au pays de Corneille!...

J'étais un de ceux-là. J'étais l'un d'eux. Alors que M. H. Massis, vert d'angoisse et du tarissement de toutes ses glandes à la pensée de perdre les abonnés royalistes de la *Revue Universelle*, pleurnichait dans les antichambres de prélats, bafouillait des *oui* et des *non*, des sans doute et des peut-être, j'engageais dans cette tragique aventure ce que j'avais sinon de plus précieux du moins de plus efficace, ma si récente et si fragile renommée. Que devais-je à M. Maurras ? Rien. Je puis dire que sa personne m'est peu connue. Je l'ai approchée quatre fois depuis trente ans. Prenais-je alors la défense de ma propre pensée ? Pas davantage. Il faudrait être ivre ou fou pour croire que des livres comme *Sous le soleil de Satan, la Joie, l'Imposture, le Journal d'un curé de campagne* ou *la Nouvelle histoire de Mouchette* doivent quelque chose à l'auteur du *Chemin de Paradis.* A M. Anatole France aussi, peut-être? Ou à M. Auguste Comte? J'avais d'ailleurs cessé d'appartenir à l'Action Française depuis 1920, ayant adressé, dès ce moment, à M. Maurras, une lettre de démission, approuvée, pour ne pas dire inspirée, par le R. P. Dom Besse. Royaliste, il est vrai que je gardais à ces royalistes une sympathie, enrichie du souvenir d'innombrables coups de matraque et d'un certain nombre de condamnations encourues pour eux, dans ma jeunesse. Sous la menace d'une censure que tout le monde, et M. Maurras mieux que personne, savait imminente, j'ai trouvé tout naturel, qu'on utilisât, contre des adversaires acharnés, une amitié catholique, si modeste qu'elle fût, dans le moment où les amis se faisaient de plus en plus rares. Mais un simple examen du calendrier prouvera que je ne me suis engagé publiquement qu'après la condamnation, alors que M. Havard de la Montagne, par exemple, soucieux de ménager à la fois Rome et la rue de Rome, n'espionnait qu'à coup sûr et les volets clos, pour le compte de ses patrons, qu'il s'empressait de renier en plein jour — si du moins ce Pernichon a jamais pu se montrer quelque part en plein jour. Qu'avais-je à gagner dans cette folle entreprise ? J'y perdais l'appui quasi unanime que la presse catholique avait donné à mon premier livre. J'y gagnais sa haine qui ne s'est guère démentie depuis. Que m'en eût-il coûté alors de prendre poliment congé de M. Ch. Maurras, sans aucun scandale, à l'anglaise, comme tant d'autres qui l'accueilleront demain à l'Académie, et me remettre à écrire des romans? M. Léon Daudet — dont je n'ai jamais sollicité le moindre article, circonstance honorable pour lui comme pour moi, et qui ne saurait diminuer en rien ma gratitude — aurait trouvé cela tout naturel. J'ai cru agir selon l'honneur, voilà tout. J'ai été pour M. Maurras comme Ch. Péguy pour Dreyfus, et nous avons été roulés tous les deux par la politique. Le seul avantage qui me reste de cette période si noire de ma vie est de pouvoir parler aujourd'hui en face à M. Maurras. Quoi que dise ou écrive sur moi M. Ch. Maurras, il ne me sera, il ne nous sera jamais étranger; il nous tient de près, il nous tient à l'âme. Il a été, il est, il sera, en ce monde et dans l'autre, l'homme pour qui nous nous sommes vus privés des sacrements, menacés d'une agonie sans prêtre. Sa dette envers nous, dépasse à l'infini la valeur de sa propre personne, nous dédaignerons donc d'exiger jamais rien de lui.

Au train d'ailleurs où vont les choses, et grâce à l'appui de l'Episcopat espagnol qui vient de réhabiliter, dans la personne du boucher de Barcelone et de Madrid, le *Par tous les moyens* jadis objet de l'exécration des personnes pieuses, il est bien possible que M. Maurras obtienne ma propre mise à l'index, que M. Mussolini approuvera sûrement. Au chevet des mourants, M. Maurras se tenait jadis ainsi que l'Archange inflexible de l'honneur et de la fidélité françaises. Il peut parfaitement se poser demain en champion du réalisme politique auprès des congrégations romaines, et obtenir sa réhabilitation comme tel. L'atmosphère de Munich justifie tout.

Pourquoi parler ainsi ? me dit-on. Hé bien, ce n'est pas seulement parce que j'en ai le droit, c'est parce que j'en ai aussi le pouvoir. J'ai perdu mon pays, soit, il est même probable que je ne le retrouverai jamais, ou du moins que je n'y reposerai pas, car les passages coûtent cher, et on ne fait pas crédit aux morts. Qu'importe ! Je dispose de toute la liberté que puisse rêver un écrivain sans fortune et père de six enfants. Cette part de liberté n'est pas grande, mais je l'ai tout entière. Dans un pays où la meilleure terre coûte deux cents francs l'hectare, et si l'on s'écarte assez des villes, un louis, une famille comme la mienne est assurée de ne jamais mourir de faim. Je ne serai jamais condamné, Dieu aidant, aux articles en série, aux consultations érotiques dans les journaux de mode, aux dédicaces chez le libraire, à l'esclavage des partis. Je ne jouerai pas les Giono, ni les gentilshommes terriens de lettres, les faux ingénus, qui carottent l'Académie comme une tante à héritage, n'est-ce pas, monsieur de Pesquidoux ? n'est-ce pas, mon cher La Varende ? Je puis parfaitement avoir mon opinion sur M. Franco sans me commettre pour autant avec M. Francisque Gay, honorer M. J. Maritain tout en déplorant ses rêveries femmelines sur les Juifs et la démocratie, qui le font acclamer par le public des « Ambassadeurs », lire avec admiration *Tête d'Or* sans oublier de proclamer que M. Paul Claudel bafouille, dans la *N. R. F.*, sur les Saintes Ecritures et a laissé au Brésil la réputation d'un Champenois d'affaires peu naïf, sûrement plus proche parent de M. Turelure que de la jeune fille Violaine. Que puis-je dire encore ? Qu'après avoir promis à sa clientèle du vrai vin de Messe, les démocrates de *Temps Présent* ont tort de lui servir la pâle bibine éventée des fonds de burette. — Hé oui, c'est ce que je pense, mon cher Fumet...

Evidemment ce ne sont là, si vous voulez, que vétilles, mais cette modeste cure d'altitude fait du bien. On s'y délivre d'un certain nombre de poisons douceâtres qui là-bas poissent vos nerfs, au point que tolérant le pire, vous n'êtes plus sensibles qu'à l'agacement, féroces seulement pour qui vous agace. Toutes les formes supérieures de l'union vous sont visiblement interdites car chacune d'elles exige un don de soi-même, dont vous n'êtes pas capables. Vous n'avez pas trop pour subsister, de ce qui vous reste, la moindre dépense imprévue vous laisserait vides. Vous suppléez à ces accords par des espèces de trêves bien curieuses et qui ressemblent à ces repas pris en commun, où chacun mange ce qu'il apporte.

C'est bien d'une trêve analogue que nous voyons bénéficier aujourd'hui M. Ch. Maurras. Le grand écrivain ne vous agace plus, vous avez depuis longtemps renoncé à rien comprendre à son destin, au tragique et surnaturel malentendu de sa vie. Quant à sa souffrance, quelle qu'elle soit, il va sans dire que vous n'y avez nulle part. Mais pourtant vos nerfs agacés, vos nerfs de femmes n'en vibrent pas moins malgré vous, au contact d'une certaine douleur mâle et profonde. Vous ressentez ce désespoir stoïque où vous pouvez, dans vos entrailles, il émeut assez vos entrailles pour que vous accouriez de tous les points de l'horizon, ainsi qu'à l'appel de l'agonie. Si M. Maurras était fidèle à lui-même — oserai-je écrire à son enfance — vous n'en accoureriez pas moins vite, mais ce serait pour l'achever à coups de pied. Seulement il s'est donné à vous, il s'efforce de parler maladroitement votre langage, il se conforme à votre bassesse. Ce jeu atroce, sans doute, ne vous trompe qu'à demi : raison de plus pour entrer dedans. M. Ch. Maurras est le Penseur. Il est le Penseur comme M. Anatole France était jadis l'Ecrivain, M. Pasteur le Savant, M. Edison l'Inventeur. Tenant pour assuré qu'il est désormais assagi, qu'il ne se rendra pas coupable d'héroïsme, qu'il ne donnera plus ce scandale, vous ne lui refusez pas le titre de Héros, avec la couronne civique. Pourquoi pas aussi le Panthéon ? L'uniforme d'Académicien n'est-il pas un petit Panthéon, bien que surmonté d'un dôme bizarrement cornu ? J'ai toujours pensé, entre parenthèses, que ces messieurs se devraient de transmettre au successeur, avec le siège, leur uniforme. On retrouverait ainsi d'âge en âge, sur le dossier du fauteuil, la même culotte flasque, gardienne séculaire de tant de virilités mortes. M. Maurras est à nous, disent-ils à l'envi, rien qu'à nous. Ils l'ont. Au sens exact du mot ils l'ont eu. Incapables de lui donner la gloire, ils lui garantissent le respect. « Où respecte-t-on ? » se demandent avec une hâte fébrile, les Respectueux. Et sitôt renseignés, ils volent à tire d'ailes. N'y touchez pas ! proclament les politiciens effrontés qui ne prennent quelque dignité que dans les cimetières, au bord des tombeaux. N'y touchez pas ! répètent les petites gens de lettres entre eux, avec une moue de connaisseur et d'augure. « Ne touchez pas à M. Maurras », sanglotent les dames. Il n'est pas jusqu'aux affreux petits cuistres bourgeois des journaux d'extrême gauche qui fassent leur partie dans le concert, jouent au naturel le rôle du voyou qui crache au passage de la procession, tandis que les démocrates chrétiens recueillent dans leur bénitier des larmes de vinaigre.

Je ne puis croire que M. Maurras reste insensible à l'injure d'une telle équivoque, mais je crains bien qu'il n'en perçoive pas l'ironie. Tous ces gens-là sont venus au politicien, mais ils escamotent aussitôt le politicien, feignent de rendre hommage au Penseur, qu'ils n'ont pas lu. M. Maurras aurait depuis un demi-siècle écrit des traités de philosophie politique dans un grenier, consacrant ses rares loisirs à des distractions telles que la pêche à la ligne ou la chasse aux coléoptères, qu'ils ne montreraient pas plus d'indignation contre les misérables qui osent mettre en cause un savant inoffensif. Or la polémique personnelle de M. Maurras est assurément l'une des plus basses qu'on ait lues, sans doute parce qu'il n'y prend visiblement aucun plaisir, du moins avouable, qu'elle n'est que la décharge et non la délivrance de ses rancunes et de ses rancœurs. Son prodigieux orgueil, au front d'Archange, s'y astreint aux moins ragoûtantes besognes avec une sorte de rage triste, d'application douloureuse qui fait penser à la débauche des vieillards. C'est ce Maurras-là qu'ils aiment, mais ils n'avouent que l'autre. Une certaine trahison contre soi-même est toujours punie en ce monde.

Nous sommes las de nous entendre toujours opposer le doctrinaire dès que nous mettons en cause l'homme public. Oui ou non, M. Maurras dirige-t-il depuis trente ans passés un journal et un parti ? Veut-on nous prouver que cette doctrine n'est qu'une construction savante où M. Maurras a si adroitement brouillé les voies qu'elle fait le désespoir de n'importe quel expert, à l'exemple des comptabilités de banque ? Que toutes les parties en soient si adroitement et si fortement liées entre elles qu'il faille la prendre ou la rejeter en bloc, qu'est-ce que cela prouve sinon le génie du bâtisseur et l'excellence de son métier ? M. Maurras n'a-t-il pas jugé le premier que toute cette maçonnerie ne se suffisait pas à elle-même, puisqu'il en est sorti Il est allé au-devant des partis, des hommes. C'est sur cette expérience que nous devons le juger. On ne prendra pas aisément sa doctrine en défaut, car la part d'erreur y est petite, au seul regard du logicien. Mais on ne juge pas une erreur sur la place qu'elle semble tenir dans un système, on en mesure la gravité aux maux qu'elle engendre, au bien qu'elle entrave. Une doctrine de l'ordre ne saurait qu'aller jusqu'au bout, jusqu'à la dernière des conditions de l'ordre, car elle est par définition, non pas une maîtresse d'illusion qui séduit et qui console, mais une maîtresse de certitude. Qu'elle s'arrête en chemin, qu'elle tourne court et le préjudice apparaît tout à coup immense, parce qu'il est en proportion de la confiance qu'elle a finalement déçue. Qui a été maurrassien et ne l'est plus, risque de n'être plus rien.

La jeune bourgeoisie française n'a pas trouvé son salut dans le nationalisme. Depuis trente ans, le nationalisme, et nommément le nationalisme maurrassien, ne lui apporte que des évidences stériles qui exaltent son orgueil, justifient sournoisement son égoïsme et colorent son patriotisme de toutes les nuances morales qui vont du dépit au désespoir. Depuis trente ans, cette jeunesse dont on prétend former l'esprit critique alors qu'on ne développe en elle que le besoin, la manie, l'hystérie de la critique, observe que la nation refuse systématiquement chaque soir le remède infaillible que le nationalisme lui propose chaque matin. Qui ne finirait pas par prendre en grippe un malade aussi imbécile ? C'est ainsi qu'à l'étranger le patriotisme des nationaux s'exprime avec une sorte de malveillance hargneuse qui déconcerte les amis de mon pays. Je crois que c'est sciemment fausser le jugement de la jeunesse française que l'entretenir dans l'illusion qu'on a fait assez pour un peuple en lui proposant les conditions du salut, comme ces pères prudhommesques du dernier siècle qui, après avoir assommé leur géniture de discours empruntés aux manuels, finissaient par dire sans remords à un prodigue de vingt ans : « Je t'ai donné des principes. Tu ne t'y conformes pas. Voilà cent louis, et va te faire pendre aux Amériques ! »

Si la France devait périr, le crime et la honte d'un tel désastre devrait retomber également sur tous et plus encore sur ceux qui l'ayant prévu ont tiré profit en ce monde d'une clairvoyance dont ils n'acceptaient pas les risques. Je dis le crime et la honte. Car si l'on considère la hauteur où s'est placé de lui-même M. Ch. Maurras, les responsabilités qu'il assume, l'affreuse chance qu'il court sans cesse, qu'il a toujours courue avec une lucidité furieuse, non seulement de dresser deux France l'une contre l'autre, de sacrifier à l'Union Nationale l'union civique, mais de troubler irréparablement la conscience française, de la faire douter de son droit, de l'humilier, de l'abaisser, de l'avilir par une perpétuelle censure, une censure impitoyable, une dictature de la censure qui prétend contrôler jusqu'à la fidélité envers les Princes, impose à la fidélité monarchique une fiction analogue à celle du Pays Réel — le Roi légal à Bruxelles, la monarchie française rue de Verneuil — ce qui fait que les royalistes de la nouvelle obédience aiment leurs Princes en Maurras comme nous aimons en Dieu le prochain — je dis qu'à ce point du débat un homme n'a plus le choix qu'entre le succès ou le déshonneur.

Et certes on peut trouver que nous attribuons à M. Ch. Maurras un rôle historique que l'histoire ne reconnaîtra pas. Hélas, il n'est en effet que trop vrai: sa pensée ne se marque guère dans les faits. C'est justement pour ne s'être jamais accomplie, réalisée, pour n'avoir jamais été fécondée par l'acte, qu'une part de cette pensée se décompose sous nos yeux, empoisonne notre air. J'accorde volontiers que l'autre peut échapper à la corruption, repose dans les vastes cryptes de la doctrine maurrassienne. Ne pourrais-je donc écrire, sans manquer de respect à la seconde que la première s'est flétrie très vite au contact des hommes, de leurs passions, de leurs malheurs ? Ces deux pensées ne sont nullement solidaires. Supposez, par exemple, que le pronunciamento du général Franco ait eu lieu vers 1890, et que, après avoir accumulé les ruines, ce général ait dû céder la place à quelque créature des Jésuites, comme l'ineffable M. Gil Robles, permettant ainsi aux gens d'Eglise de s'exprimer librement, satisfaction qu'ils ne se donnent volontiers qu'envers les vaincus, on n'eût sans doute pas manqué, en 1926, d'illustrer par un tel exemple le *Par tous les moyens* du chef de l'Action française. Celui-ci n'eût-il pas apporté aussitôt cent textes péremptoires, établissant à l'envi qu'il avait toujours condamné la dictature, l'intervention de l'étranger dans la guerre civile, le régime des suspects, les massacres sans jugement, la contrainte religieuse ? Et les trente mille abonnés de l'*Action française* n'eussent-ils pas pris le ciel à témoin de l'injustice et de la mauvaise foi des contradicteurs? Epurer la Provence républicaine, faire incendier Marseille par les avions de Balbo, conduire baïonnette au canon la population de Martigues à confesse, notre Maurras, vous n'y pensez pas ! N'ai-je pas été pris moi-même à ce jeu ? Certes, je n'aurais pas attendu jadis de l'homme qui traitait si sévèrement les jeunes étourdis de l'armée de Condé, avait flétri maintes fois la féroce répression de M. Thiers, qu'il retroussât un jour ses vieilles chausses afin de porter plus vite l'hommage des royalistes français à un général deux ou trois fois parjure, assez dégoûtant pour imposer au peuple de Madrid le défilé triomphal des troupes italiennes, et au ciel de la ville illustre outragée, les caracoles aériennes des Savoia de bombardement.

Mais est-ce « la pensée de Maurras » que je devais tout à l'heure écrire ? C'est l'esprit maurrassien qu'il m'eût fallu mettre en cause. La pensée de M. Maurras n'informe guère que les lecteurs, en petit nombre, de ses livres, et si graves que soient les déformations qu'elle subit, l'illustre doctrinaire peut du moins en quelque manière y porter remède. L'esprit maurrassien, au contraire, caricature bourgeoise et académique de l'esprit totalitaire, apparaît comme une sorte de clémencisme évolué, où le vocabulaire traditionnel remplace avantageusement le vocabulaire matérialiste démodé. Ce n'est plus un secret pour personne que M. Ch. Maurras a été le grand éducateur de la République radicale, de la jeune génération radicale, qu'il a déniaisée, prisonnière jusqu'à lui de l'idéalisme quarante huitard qu'elle n'osait ouvertement renier, et dont le cynisme foncier n'osait guère dépasser les limites de l'arrondissement. Il en est de l'idéalisme quarante huitard comme de la Société des Nations. M. Maurras a plus contribué qu'aucun autre à en détourner notre bourgeoisie, mais il ne l'a remplacé par rien. Je dis dans le cœur, dans la foi, dans l'espérance des hommes. C'est là qu'éclate aux yeux l'énorme disproportion de l'intelligence à l'âme. Prodigue de son intelligence, M. Maurras ne donne rien de son âme, que ses haines. C'est ce qui explique la bassesse et la vulgarité d'un si grand nombre de ses disciples. Lorsqu'on relit, par exemple la pesante thèse de M. Lasserre sur le Romantisme, on ne peut qu'éprouver de la pitié à l'égard d'une jeunesse assez malheureuse non pour avoir été dégoûtée de Victor Hugo, mais pour l'avoir été par un mufle. C'est une grande disgrâce pour une jeunesse d'être opérée de ses illusions par un mufle.

La plupart des illusions de la jeunesse française ont un fond chrétien, tiennent au fond chrétien par leurs racines. Le critique maurrassien ne voit dans ce phénomène vital qu'une équivoque, une erreur abstraite, et naturellement sourd aux cris de la patiente, il tranche aussitôt dans la chair vive. Demain l'opérée crachera sur les grands mots, mais elle crachera aussi sur les vérités éternelles que ces grands mots, légitimement ou non, s'efforçaient d'exprimer pour les aïeux. La nouvelle génération maurrassienne rigole du pacifisme humanitaire, mais elle se traînera sur le ventre, jusqu'à Munich, pour y honorer le pacifisme des dictatures, elle traitera de « va-t-en guerre » et de « buveurs de sang » les généraux assez cruels pour faire courir un risque à M. Mussolini et aux si précieuses acquisitions de l'Empire. Ces hideuses contradictions finissent par porter leurs fruits et le « *Par tous les moyens* » apparaît de plus en plus comme un funeste instrument de politique extérieure. Il n'y a que M. Maurras qui soit capable d'imaginer que ses furieux appels à l'instinct de conservation seront oubliés dès qu'il lui plaira de reprendre la trompette guerrière à propos de la Pologne ou de la Roumanie, qu'on peut impunément avoir flétri la barbarie germanique en 1914 et justifier aujourd'hui les bombardements de Madrid et de Barcelone par les mêmes arguments qui servaient jadis aux théoriciens allemands de la guerre totale, ou convaincre de la plus grossière crédulité des Princes résidant à trois heures de leur capitale, sans ébranler une confiance qu'il en coûtera probablement plus d'accorder demain au roi riche et puissant parmi ses parasites et ses flatteurs.

Ainsi la dictature intellectuelle de M. Ch. Maurras a toute l'immoralité des dictatures, sans disposer d'aucun des moyens d'exécution de la force. A un orgueil pareillement sans mesure, elle ne sacrifie que les consciences, dont les charniers invisibles, hélas, ne puent pas comme les autres. D'où vient d'ailleurs, que M. Maurras, si habile et si fort pour convaincre, convainc sans convertir au sens étymologique de ce dernier mot — ou ne convertit qu'à lui-même ? — D'où vient que tuant les idées fausses, il stérilise aussi les vraies, épuise leur sève ? Il n'y a qu'une raison à ce mystère. L'esprit maurrassien est absolument dépourvu, dépouillé, destitué de toute charité, je veux dire de la charité du Christ. Certes, M. Maurras doctrinaire pourrait opposer ici des textes, car, à son ordinaire, il a solidement établi son argumentation au point crucial, au centre même de l'articulation délicate par quoi la théologie morale lie, non sans peine, la charité à la justice. Que le doctrinaire se débrouille avec le théologien ! Je parle de l'esprit maurrassien. Il arrive plus d'une fois que l'esprit d'un maître échappe à son contrôle : « Mais on ne m'a pas compris ! » dit-il. Je crois que nous ne sommes pas responsables de la manière dont nous sommes compris, mais de celle dont nous sommes aimés.

J'écris ces lignes à tant de lieues de mon pays! Elles paraîtront dures à qui n'a pas dévoré chez les étrangers, sous leur regard, les humiliations de ces derniers mois. Que m'importe ! Je ne reproche pas à M. Maurras d'avoir échoué. Je lui reproche de s'être fait de ces constants échecs un titre de gloire et d'honneur. Par lui, à cause de lui, des milliers de jeunes Français risquent de dire un jour, en face du désastre : « Tant pis! C'est la France qui l'a voulu ! » Je suis content d'avoir vécu assez pour leur répondre qu'ils en ont menti.

Certes, nous n'avons pas observé sans dégoût, depuis vingt ans, l'impuissance de la République à poursuivre une politique, quelle qu'elle fût. A Genève comme à Moscou, à Varsovie comme à Prague, à Berlin comme à Madrid, le gouvernement des Partis commence tout et ne finit rien. En sorte que l'opposition a beau jeu, gagne à coup sûr, se fait sans risque une réputation de clairvoyance prophétique. Elle pourrait aussi bien tirer à pile ou face, le résultat serait le même. C'est d'ailleurs pourquoi nous voyons aujourd'hui tranquillement rangés sous la même bannière, l'auteur du Traité de Versailles, et les détracteurs de ce traité, réconciliés par M. Mussolini. L'astuce de ces Messieurs — tous plus ou moins professeurs — a toujours été, je le répète, de raisonner comme si la France seule au monde, assise à son pupitre, écrivait ce tragique chapitre d'histoire, ainsi qu'une composition de discours français, avec l'unique souci d'observer les règles du genre. Ils effacent, ils raturent, ils zèbrent les pages de leur crayon bleu. Quand l'élève a terminé, M. Maurras retourne à son pupitre où il écrit d'un trait l'histoire fabuleuse du Pays réel, le voyage du jeune Anacharsis à travers l'Europe en feu, et les dames s'écrient : « Que n'avons-nous à notre tête ce Mentor ! »

Mais si M. Maurras n'a pas gouverné la France, il a du moins dirigé l'Action Française qui n'est pas moins besogneuse que la troisième République, subsiste comme elle à coups d'emprunts et de virements, gaspille autant de bonnes volontés et, composée de catholiques et de royalistes, a tenu la gageure diplomatique de rompre avec ses alliés naturels, le Pape et les Princes — Un ambassadeur à Rome ! un ambassadeur à Bruxelles ! — Hélas, ni l'Italie, ni l'Angleterre, ni l'Allemagne, ni même le Négus, ne sauraient empêcher l'ermite de la rue de Verneuil d'écrire ce qu'il veut. Lorsque M. Maurras décréta le partage des Allemagnes, il aurait pu aussi bien décréter la Paix perpétuelle ou la prolongation des phases de la Lune. Tous ces « on pourrait », « on devrait » de sa politique de chambre sont si vite rattrapés par l'événement qu'on ne les rencontre jamais que sous la forme plus familière de « on aurait pu » « on aurait dû » dont se gargarisent les imbéciles. C'est au conditionnel passé qu'une grande part de la jeunesse française conjugue aujourd'hui son destin. Va-t-on les laisser crever sur les chantiers de la prochaine guerre avec ce haussement d'épaules supérieur et ce ricanement ? Depuis dix ans, ils couchent avec les déceptions d'un vieil homme, ils ne peuvent plus se passer de ce harem macabre, ils y ont leurs habitudes. Où iront-ils demain ? Car la question que pose la dictature spirituelle de M. Maurras est celle que posent toutes les dictatures. Et après ? N'apporteront-ils demain à la jeune monarchie bien vivante qu'un cœur gros de rancunes, une sagesse avare et sourcilleuse, déjà flétrie ?

Les petites tantes françaises de la propagande italienne, dont les papas et les grands-papas ont pris du ventre au service de la République, m'accusent volontiers de n'être plus royaliste. A la vérité, je ne l'ai jamais été comme eux. Je n'ai jamais attribué à la Monarchie l'espèce d'infaillibilité que ces galopins se décernent à eux-mêmes. J'attends bien qu'elle fasse des sottises, comme tout le monde, mais je crois fermement qu'elle les réparera peu à peu, qu'elle finira par reconnaître son peuple, afin que le peuple la reconnaisse à son tour. Je veux que le moment venu, elle ait la place libre pour ses expériences, voilà tout. Je n'attends personnellement rien d'elle, cela va sans dire, mais cela va tout de même mieux en le disant. Je n'ai rien de plus à lui donner que ce que je m'efforce de donner aussi à notre chrétienté française, selon mes faibles forces, un témoignage libre, sinon tombé de haut, du moins venu de loin, de toute l'épaisseur d'une moitié de la terre. Je ne crois nullement mon témoignage valable auprès des Français républicains, non plus qu'à l'égard des Français incrédules. Les uns et les autres — je parle des plus indulgents — peuvent se dire simplement que tous les goûts sont dans la nature, et qu'il ne faut pas me chicaner sur les miens. Qu'importe? Nous témoignons pour l'Eglise et la Monarchie, mais c'est à la Monarchie et à l'Eglise de se justifier par leurs œuvres, d'obtenir justice. Quelle que soit la part de vérité dont un homme dispose, il ne saurait l'imposer à autrui sans premièrement la faire aimer, et il ne la fera aimer que par les œuvres. Comme j'estime dérisoire et sacrilège la prétention des dévots à se croire justifiés avant le jugement, je ris des royalistes qui se présentent comme des Français de première classe à de pauvres diables. Les pauvres diables se formeront sur ce problème une opinion définitive lorsque la Monarchie leur aura donné ce qu'ils demandent, le travail, le pain, la liberté. Si les royalistes ont le secret de la vérité politique et une clairvoyance exceptionnelle, qu'ils fassent la Monarchie, on verra plus tard. Je me demande si elle ne se fera pas contre eux : « Vous n'avez pas le Roi de la Poule au Pot, disent-ils, mais vous nous avez, réjouissez-vous! » Merci de la Poule et du Pot.

Je parle ainsi comme eussent fait nos pères. Ils n'auraient absolument rien compris à toutes ces histoires de papier, à ces batailles pour rire, à ces tempêtes dans l'encrier. Aujourd'hui le moindre prédicateur qui descend de la chaire où il a un peu mouillé sa chemise, vous prend des airs de confesseur de la Foi ; un frisson secoue l'assemblée. On aurait dit jadis : « Voilà un prêcheur qui prêche, il est convenable qu'un prêcheur prêche. » Pour s'émouvoir, ils auraient attendu le miracle. Depuis que les chrétiens ont perdu la Chrétienté ils semblent avoir construit en hâte une autre chrétienté de carton, un théâtre de Chrétienté dont ils ne quittent plus guère la scène. A cette échelle réduite, les mots grandissent comme les décors, par de simples effets de perspective. Au prix de quelques planches et d'un pot de peinture, chacun d'ailleurs peut s'offrir un Petit Pays Réel, une Petite Chrétienté Réelle, où il joue les rôles qui lui plaisent. De temps en temps, une chandelle tombe de la rampe, et met le feu au vrai Pays, à la vraie Chrétienté. Le monde flambe autour des décors ignifugés et d'ailleurs les dégâts sont couverts par une police d'assurance.

Je le dis comme je le pense. J'en ai assez de ce guignol. C'est ainsi qu'on fausse délibérément chez les jeunes Français le sens de l'action. Quel est à l'heure où j'écris ces lignes, l'homme d'action dont puissent s'enorgueillir les gens de droite? C'est *M. Gringoire*. Je dis M. Gringoire et non pas M. de Carbuccia qui fait auprès de ce géant tout en gueule, aux pieds de plomb, figure d'un minuscule dompteur, soutaché d'or. Ou c'est *M. Candide,* vomissant des tonnes d'encre sous les yeux du gentil Fayard. Que le malheureux s'approche un peu trop de l'orifice béant du monstre, il serait gobé lui-même, en un clin d'œil. Aussi les maîtres ont-ils leur fauteuil au Pays réel, où les poignards sont de papier d'étain, les larmes de vaseline, le sang de laque carminée. Mais les Bêtes déchaînées, rugissantes, marchent sur les hommes. On les a vues en Abyssinie, on les a revues en Espagne. Il y a bien l'écurie à Paris, là-bas, chaque soir magnifiquement illuminée. Seulement elle est presque toujours vide. Les jeunes nationaux trouvent cela très naturel. Je me demande moi : que pourrait bien faire un homme d'action parmi ces mastodontes? Voyez-vous Lyautey, organisant le Maroc, de son cabinet de travail, tandis que ces animaux énormes déracinent les arbres du jardin, et passent de temps en temps leur trompe par la fenêtre ? Attendez votre grand homme, votre sauveur, jeunes idiots ! Vous pourrez l'attendre longtemps. S'il met le pied hors du Pays Réel, vous le retrouverez, en marmelade.

Il est vrai que ces colosses échappent à tout contrôle. Ils occupent à eux seuls le champ de l'Action nationale, ils y vont et viennent à leur gré. Vu de ce côté-ci de l'Atlantique, le spectacle est extraordinaire. Chacun de leurs rares services, se paie d'incalculables dommages. Pour avoir la peau d'un ministre, ils risquent le nom de la France, ils rassasient de scandales tous les ennemis de notre peuple. Par haine de l'Exposition de 1937, dite Exposition du Front populaire, n'a-t-on pas représenté Paris comme un repaire d'ouvriers sadiques, inaccessible aux honnêtes gens ? Pour écraser un cancrelat, les colosses jetteraient bas la maison, d'un coup d'épaules. Il n'importe plus de savoir, à qui au juste ils appartiennent, car ils appartiennent à tant de monde qu'ils n'appartiennent plus à personne. Je me refuse encore à croire que M. de Carbuccia touche aux fonds de propagande mussolinienne ou franquiste, et de toutes manières si je l'apprenais un jour, je me tairais ou j'irais le lui dire en face, car à tant de lieues de distance, il est vraiment trop difficile de prendre personnellement la responsabilité de ce qu'on écrit. Qu'importe, je le répète ? Qu'importe aux Belges d'apprendre que M. Degrelle était vendu ? Qu'il y ait des Degrelle français, naturellement, nul n'en doute. Qu'ils touchent en paix ! Le fait n'a pas en soi beaucoup d'importance dès qu'il reste bien établi que la principale et presque l'unique ressource de la propagande fasciste dans le monde, et particulièrement dans le monde catholique, est la diffamation de mon pays ?

Le parti de Dreyfus n'a pas plus calomnié la

France à travers le monde que le prétendu Parti National. Même rage de vaincre à tout prix, d'avoir la peau de l'adversaire, de l'avoir coûte que coûte, dût-on pour l'obtenir déchirer la Patrie. Même fiction, là d'une France Idéale, ici du Pays Réel, au nom de quoi tout est permis. Lorsque M. Maurras appuie de son nom, de sa légitime autorité, qui n'est pas petite, cette furie parricide, de lui ou de moi, qui a changé ?

Qui a changé de lui ou de moi ? M. Maurras, du temps qu'il appelait Drumont son Maître, a flétri plus qu'aucun autre, l'égoïsme du Parti conservateur, sa phobie de la législation sociale, l'immoralité des coalitions manœuvrées par les hommes d'argent. Les reproches qu'on m'adresse aujourd'hui sont précisément les mêmes qu'il essuyait jadis de tous les chefs, sans exception, de l'opinion bien-pensante. A dix-sept ans, nous autres royalistes, nous nous sommes maintes fois battus contre les gens de l'Action Libérale, de la Ligue des Patriotes, des Jeunesses Bonapartistes, contre les jaunes de M. Biétry, suprême espoir des Bons-Patrons, nous avons sifflé M. Barrès au Quartier Latin, mis hors de combat à la Société de Géographie le vénérable amiral Bienaimé. Lequel de ces anciens adversaires manquerait maintenant au cortège de M. Ch. Maurras ? On y verrait M. Marcel Habert qui valait tout de même l'intouchable Jean Renaud. On y verrait

M. Piou, M. de Mackau s'y traînerait sur ses chaises et aussi M. d'Haussonville au nom de l'Académie. Pourquoi pas M. Waldeck-Rousseau qui était un autre homme que M. Tardieu ? Et qui encore ? Pense-t-on que S.E. le cardinal Andrieu, chapitré par l'Episcopat espagnol aurait déchaîné ses secrétaires contre un écrivain que le chef de la Croisade vient de serrer contre son cœur ? Et Coty, notre vieux Coty ! A quoi tient la destinée ? Naïf comme nous le connaissions, pauvre diable, il eût marché, il eût couru, il eût chanté, chanté sur l'air de Magali, aux accompagnements des tambourinaires. Il eût doublé, triplé, quadruplé, décuplé ses versements à la caisse de l'Action Française. Je m'étais fait la promesse d'écarter au cours de ces pages tout ce qui pourrait avoir le caractère d'une attaque personnelle. On peut bien me permettre d'y manquer en faveur d'un pauvre mort que personne ne défend plus. Si effronté que soit M. Maurras dans ses démentis — ce n'est pas la seule ressemblance qu'il ait avec les diplomates d'Eglise — il ne niera pas qu'il a touché, qu'il a touché beaucoup et longtemps, de l'homme contre lequel il a commis plus tard un véritable homicide moral — le seul qui soit sans risques. M. Maurras ne niera pas non plus qu'informé de ma prochaine collaboration à « Figaro », il m'ait fait l'honneur de m'inviter à Martigues — pour la première et la dernière fois — afin de me demander au dessert d'intervenir auprès de M. Coty, d'obtenir qu'il rouvrît ses coffres. Et sur une objection de M. Maurice Pujo, plein de méfiance à l'égard de l'entourage du malheureux millionnaire, M. Maurras ne niera pas d'avoir conclu : « Pour notre Action Française, je recevrais de l'argent du diable »... Du diable... Cette pensée m'a fait souvent rêver, depuis.

Que M. Maurras nie ou ne nie pas, la chose n'a d'ailleurs aucune importance à mes yeux. J'écris pour des amis, c'est à des amis que j'engage ma parole et ils me savent incapable de me parjurer. Cela suffit. J'ajoute que le fait ne me scandalise nullement. Je lui dois d'avoir souri plus d'une fois au cours du procès de M. de La Rocque, et le mécanisme musculaire du sourire, les médecins le savent, est un excellent remède aux contractions du diaphragme, cause ordinaire du vomissement. Après tout, j'ai le droit de dire que M. Maurras a touché de M. Coty, puisqu'il l'a reconnu lui-même. L'Association des *Croix de Feu* n'a pas moins touché que lui ou a touché plus, l'infortuné châtelain de Louveciennes ayant ses idées, lui aussi, sur l'Union des Honnêtes Gens, et le budget du Pays Réel. Je me rabaisserais au ton de certaines polémiques de M. Maurice Pujo si je me permettais d'insinuer que le grand écrivain a mis l'argent dans sa poche. Je serais, en outre, un imbécile, car la dignité de la vie privée de M. Maurras est au delà de toute discussion, elle honore n'importe lequel des Français qui tiennent une plume, comme la part impérissable de son œuvre, la critique de l'erreur démocratique, appartient déjà au patrimoine national. N'importe. Pour reprendre un mot favori de Drumont, ces petits à côté de l'histoire sont curieux. Je me demande seulement : A quoi diable, mais à quoi diable M. Maurras peut-il utiliser le commandant J. Renaud qui la main sur le cœur, en 1933, demandait au « Patron » la permission d'abattre Ch. Maurras à ses pieds, comme un chien... Si je pouvais croire une seconde à la prodigalité de l'excellent trésorier de l'Action Française — hypothèse absurde — je dirais que lorsqu'on a tué le Maître, on peut faire une pension au valet.

Vendredi-Saint 1939.

Les petites tantes du néo-maurrassisme paraissent se faire une idée singulière des jeunes français royalistes de mon temps. On ne nous a nullement élevés dans le respect de la bourgeoisie. Nous savions que la bourgeoisie, la bourgeoisie intellectuelle comme l'autre, avait constamment sacrifié la Monarchie à son avarice, à sa vanité, à une sorte de Conservatisme qu'elle prend pour la tradition, qu'elle oppose dans son orgueil ingénu, à la tradition des Aristocrates. Pour savoir ce que nous pensions de la Bourgeoisie française, il suffit de lire ce qu'en écrivaient jadis Balzac et Flaubert, ou même un homme comme Louis Veuillot. Nous n'ignorions pas que la Bourgeoisie s'est perpétuellement interposée entre le Peuple et la Monarchie, que la Monarchie, en 1789 comme en 1830, s'est perdue chaque fois qu'elle a parié pour la bourgeoisie contre le peuple.

L'ouvrier français nous était peu connu, parce qu'au cours du XIXe siècle il nous paraissait avoir été contre nos Rois, l'émeutier au service de la bourgeoisie, trop lâche pour se battre. Mais nous mettions très haut le paysan français. Entre le dernier petit seigneur rural qui tient le gouvernement de sa chaumière comme les poignées de sa charrue et n'importe quel navet hypocondre passé en une génération de l'épicerie à Polytechnique, nous n'hésitions pas. Qui nous eût traité, pour autant, de démocrates, nous aurait bien fait rire. Je ne sais absolument pas ce qu'on pourrait reprendre à des sentiments si simples. On a le droit de ne pas les partager, voilà tout. Je n'éprouve aucune gêne à déclarer qu'un ouvrier communiste de bonne foi, prêt à se sacrifier pour une cause qu'il croit juste, est infiniment plus près du Royaume de Dieu que les bourgeois du dernier siècle qui faisaient travailler douze heures par jour, dans leurs usines, des enfants de dix ans. On me dira que la bourgeoisie s'est réformée sur ce point. Je remarque qu'on lui a laissé tout le temps de s'amender, au milieu de la considération générale. Lorsqu'on aura montré autant de patience et d'égards à la classe ouvrière, momentanément égarée par le communisme, nous reparlerons de la mitrailleuse.

Car tel est le point du débat. Je n'avais pas parlé de M. Maurras depuis 1932; « *Un crime* », « *l'Histoire de Mouchette* », ou le « *Journal d'un curé de campagne* » ne font nullement mention de cet écrivain. J'avais observé, comme tout le monde, que depuis les premiers développements de la politique impériale mussolinienne, les confirmations que M. Maurras n'attend plus de son pays, il les cherche à Rome. C'est toujours à son pays que M. Maurras prodigue ses soins, mais c'est toujours la France qui maigrit et l'Italie qui prend du ventre. M. Maurras, jadis moins heureux dans ses campagnes, a triomphé dans la banqueroute genevoise, triomphé dans le sabotage des sanctions, triomphé à Addis-Abeba, triomphé à Majorque, à Madrid, à Barcelone, il va maintenant de triomphe en triomphe. Je trouve cette vieillesse heureuse. Il n'en est pas moins vrai que je n'ai rompu le silence qu'à propos des affaires d'Espagne. Je n'ai pu tolérer que, fort du fanatisme de ses partisans et de la trop longue patience de ses Princes, il engageât le vieil honneur royaliste dans une espèce d'aventure hagarde, truquée comme un mauvais film dont le moins qu'on puisse dire, est qu'elle ruisselle d'or, de boue et de sang. Bref, je ne permettrai pas à M. Maurras de laisser croire aux ouvriers français que Mgr le comte de Paris est capable de rentrer dans la ville dont il porte le nom, sur les cadavres de deux millions de ses sujets, d'assister bras tendu, au défilé des étrangers vainqueurs sous l'Arc de Triomphe de l'Etoile. C'est tout.

Entre la tradition royaliste, et M. Maurras, j'ai choisi. Entre le Roi et la Ligue, j'ai choisi. Que trouve-t-on là d'extraordinaire ? Je pensais que depuis Henri IV, un Français pouvait rejeter à la fois la Ligue et les Huguenots. Je ne veux ni de la Ligue ni des Huguenots. Je ne doute pas que la vie de notre gentil dauphin ne puisse être un jour menacée par un communiste. Mais je n'oublie pas non plus que Jacques Clément était un frocard et Ravaillac un bigot. J'ai vu beaucoup de Jacques Clément et de Ravaillac en Espagne, je sais ce dont je parle. Je n'ignore malheureusement pas qu'il y ait une France de gauche et une France de droite. Je ne peux pas laisser croire à la première que le Roi vainqueur lui imposerait, comme le général Franco à Madrid, une capitulation sans conditions, une capitulation déshonorante. Vous pensiez comme moi là-dessus ? Alors qu'alliez-vous faire à Burgos ?

Si M. Maurras avait autant le sens de notre propre histoire que celui de l'histoire romaine, il aurait compris depuis longtemps que l'attitude des Droites dans l'affaire d'Ethiopie, comme dans l'affaire d'Espagne, a profondément blessé une très grande part, une part assurément non négligeable de l'opinion française. On a toujours compté en France très peu d'hommes de l'espèce à laquelle appartient M. Maurras, ou du moins, ils figuraient discrètement dans l'administration,

n'ont justement retenu que les sarcasmes contre la conscience universelle. Vous ne vous êtes jamais douté qu'un pauvre diable qui se crève, sans espoir, pour nourrir sa femme et ses mioches, a plus besoin de croire à la conscience universelle, que M. André Tardieu, ou M. de Wendel. Il est possible que vous ayez à payer cher dans l'autre monde la part d'espérance que vous avez refusé en celui-ci aux misérables. Laissons cela.

Je dis que pour avoir orgueilleusement prétendu vous passer d'une certaine tradition nationale, étroitement, inextricablement mêlée dans l'histoire à celle dont vous vous dites les légitimes héritiers, votre politique abstraite s'écrit sur le papier, rien de plus. Car j'y reviens, j'y insiste, je ne me lasserai pas de le répéter. M. Maurras a maintes fois apporté la preuve que le gouvernement des partis était incapable de mener jusqu'au bout une politique. Quelle que soit la politique du gouvernement des partis, on peut être d'avance assuré qu'il tournera court, qu'il l'abandonnera une heure avant d'en avoir recueilli les bénéfices, qu'il en essayera une autre. Le gouvernement des partis, en aviation comme en toute chose, pratique le système des prototypes. Sur ce point M. Maurras a raison. Il n'a nullement prouvé qu'il eût raison sur les autres, sur les points particuliers. On imagine parfaitement, au contraire, ce qu'un grand Prince eût fait de l'extraordinaire crédit accordé jadis à la Société des Nations, de l'idée de la réconciliation franco-allemande, des sanctions contre l'Italie, d'une intervention rapide en Espagne. Le gouvernement de la République n'a jamais rien voulu réellement, et M. Maurras a toujours voulu contre le gouvernement de la République, qui ne voulait rien. Tel est le mystère.

Les campagnes provocatrices de l'Action Française contre l'Allemagne de Weimar, comme les arguties de M. Poincaré, n'auront servi qu'à donner à la France, dans le monde, le visage d'un Shylock, malheureusement bavard. M. Maurras a jeté les Droites dans les bras de la sœur latine. L'exploitation par la politique italienne de la haine des nationaux pour l'Allemagne, et de leur terreur des ouvriers communistes, est assurément un chef-d'œuvre, une merveille. Mais la merveille des merveilles, est d'avoir réussi à faire de la conquête d'Ethiopie, qui brisait à jamais le rêve de Morès et de Marchand, celui d'un empire étendu de l'Atlantique à la Mer Rouge, une espèce de campagne populaire, accueillie avec enthousiasme par les patriotes. Si nous obtenons demain, par miracle, quelque concession dédaigneuse du gouvernement italien, M. Maurras écrira que sa politique triomphe. Or M. Tharaud affirmait l'autre jour dans « Paris-Soir », qu'après la chute d'Addis-Abeba, l'utilisation du chemin de fer de Djibouti avait sauvé l'armée italienne du « second plus grand désastre colonial de l'histoire. » M. Maurras préfère sans doute traiter avec une Italie contrôlant la Mer Rouge, l'Adriatique et la Méditerranée. A toutes les objections, il répond par un axiome de la Somme Politique. Mais ses axiomes valent, c'est sa politique qui ne vaut rien. Ou plutôt elle ne vaut que pour son public ; elle assure le relatif succès de ses quêtes trimestrielles et avec sa réputation personnelle de Prophète, sa dictature de l'opinion monarchiste : « La Monarchie avec Maurras, oui. La Monarchie sans Maurras, peut-être. La Monarchie contre Maurras, jamais », M. Maurras est infaillible. M. Maurras a toujours raison. Seulement ce n'est pas parce que M. Maurras a toujours raison qu'il est infaillible. C'est parce qu'il est infaillible, qu'il a toujours raison.

Dans une réponse à M. de Kérillis, où, selon sa coutume, il commence par décréter ainsi qu'une vérité reconnue de tous que le directeur de l'*Epoque* est un misérable — ce que j'ignore — M. Maurras se dépeint lui-même ainsi qu'un conseiller de la France. Un si grand titre évoque instantanément l'impartialité, la sérénité, toutes les fortunes supérieures du détachement de l'esprit. C'est précisément de ce détachement que M. Maurras manque le plus. Incapable d'imposer sa volonté, il impose du moins ses vues. Il les impose par tous les moyens. Si médiocre que soit cette espèce d'action, elle en est une cependant. Pour moins comporter qu'une autre de risque et d'honneur, elle ne saurait permettre à M. Maurras d'échapper aux responsabilités de l'homme d'action. L'homme d'action mérite d'être jugé sur ses actes, ou plutôt sur leurs conséquences, qui sont le plus souvent bien différentes de celles qu'il avait prévues.

Les porte-plume de M. Maurras écrivent volontiers que je suis devenu démocrate, et même démocrate chrétien, ce qui est à mon sens une fâcheuse manière d'être démocrate. J'accuse au contraire M. Maurras d'avoir mieux que trahi les intérêts de la Monarchie, engagé l'honneur de la Monarchie, en contribuant plus qu'aucun autre, par ses furies partisanes, à la fortune du slogan imbécile, au nom duquel nous nous égorgerons demain : dictature ou démocratie, démocratie ou dictature. Les Français qui suivent M. Maurras, ou ceux, bien plus nombreux, qui le suivent derrière des politiciens qui ne le valent pas, exploitent ses haines et sa renommée, se moquent bien des distinctions pertinentes du *Dictionnaire politique*. Ils crient : Vive Mussolini, Vive Franco, s'ils ne crient pas encore : Vive Hitler ! Pour des milliers d'ouvriers ou de paysans français, monarchie égale dictature ; un royaliste est un type dans le genre de Franco. Le plus grand service qu'on pouvait rendre à la démocratie était bien de favoriser cette équivoque. Grâce à M. Maurras, la démocratie s'empare sans coup férir, des positions tenues par la Monarchie française depuis des siècles. Un politicien suspect comme M. Roosevelt, peut se permettre de rappeler au Droit, à la Justice, à l'Honneur même des royalistes français, briguera peut-être demain, avec l'appui de *Temps Présent*, le titre de Fils aîné de l'Eglise. Après l'Ethiopie, l'Espagne, l'Autriche, Prague ou Tirana, un royaliste se distingue d'un autre Français en ceci que libre d'apprécier les avantages ou les désavantages d'une canaillerie politique, il ne saurait la flétrir sans faire rigoler tout le monde. Et dans ce tragique débat où se trouve engagé le principe même de la Légitimité, sa réalité substantielle, un jeune Prince français n'a pas le droit d'intervenir sans se faire traiter d'ingrat par de vieilles folles impossibles à refroidir depuis vingt ans, ou renvoyer à l'école par un magister dont l'apothéose académique coïncide justement avec la plus grande humiliation de notre histoire. Addis-Abeba, Majorque, Madrid, Munich, Prague et Tirana, voilà les noms que M. Maurras a écrit de sa main sur le vieux drapeau souillé des Rois Très Chrétiens. Je ne demande pas qu'il soit enseveli dans ce linceul.

Je n'ai vu qu'une fois Mgr le comte de Paris, je ne le reverrai peut-être jamais. Aujourd'hui comme hier, j'agis en mon nom, je n'engage que moi, je ne veux compromettre personne. Je ne me juge nullement qualifié pour apprécier ou pour approuver. Je crois pouvoir dire simplement que le spectacle d'un jeune Prince français cherchant, comme à tâtons, mais avec la divination héroïque d'une jeunesse prédestinée, la voie sûre, la voie royale, doit nous remplir de honte et de remords. Oh, n'importe! Qu'il aille seul, qu'il trouve seul, que sa victoire soit bien à lui ! Nous ne voudrions lui épargner ni une erreur, ni même une faute pourvu qu'elles accablent les imbéciles, consternent les lâches. Qu'elles soient selon sa nature, en accord avec la vérité profonde de son être, et pour ainsi dire, dans le sens de sa destinée. Il n'y a rien d'irréparable que le mensonge. Nous ne sommes pas des enfants de chœur, nous savons parfaitement quel parti certains rois habiles ont tiré du mensonge. Mais il n'y a plus maintenant, pour un Prince français, de mensonge utile et profitable. La France ne veut plus être humiliée. C'est le seul risque qu'elle ne puisse plus vraiment courir. Courez avec elle tous les autres, mon Prince. On ne peut guère ménager l'avenir sans ménager aussi le présent et qui marchande avec le présent doit sacrifier l'enthousiasme et l'amour au suffrage des doctes et des Prudents. Il faut choisir de Jeanne d'Arc, et de son gentil patois, ou de Monseigneur l'Evêque de Reims, avec ses belles phrases latines : « Sauvons-nous donc, ou crevons ensemble ! » voilà le mot que la France attend.

On nous dira que c'est un mot de joueurs. Voilà bien pourquoi nous ne l'érigerons pas en précepte de gouvernement. Nous ne lui donnons d'ailleurs nullement le sens d'une maxime de casse-cou. Il ne s'agit pas de casser des cous, mais d'ouvrir des cœurs. Le peuple français a honte de lui-même, le peuple français ne sait réellement plus s'il mérite ou non d'être aimé. Nous ne nous flattons pas que ce fait soit connu des membres de l'Académie des Sciences morales. Le peuple français a mauvaise conscience. Avec une mauvaise conscience, l'Allemagne d'après-guerre faisait la noce, pompait par tous les orifices l'éther, l'héroïne et la morphine. Le peuple français s'est efforcé de l'imiter un temps, avec peu de profit. Le peuple français est trop honnête pour ce que les politiciens de droite ou de gauche lui ont laissé d'honneur. Le peuple français s'est remis vaille que vaille à sa tâche mais il n'aime plus ce qu'il fait, le travail de ses mains : « Je n'ai plus de cœur à la besogne, je ne *me reconnais plus* » disent les vieux ouvriers, dans leur langage si pur. La France ne se reconnaît plus, elle se cherche sur un autre visage, l'Italie et son Duce, la Russie et son Staline. On a fait une mauvaise conscience au peuple français. Je ne prétends pas que de tels mots aient un sens pour les Intellectuels. Tant pis. Voilà des années que ces imbéciles essaient sur notre peuple leurs excitants cérébraux, et il n'y a pas un carré de sa peau où ils n'aient poussé avec la seringue leur salive vénéneuse, mêlée d'encre. A chaque injection, l'état du malade empire, mais il a, au point de la piqûre, un chancre de plus. Quel beau chancre ! quel curieux chancre ! Que voulez-vous que je vous dise ? Je mets tous ces gens-là dans le même sac. Il est absurde et féroce d'inoculer à un peuple de paysans propriétaires, de gentilshommes paysans le venin juif du marxisme. Mais il n'est pas moins absurde et féroce de fourrer dans les veines d'un vieux peuple chrétien, resté si chrétien par ses réactions profondes, instantanées, du sens moral, un nationalisme païen, une forme particulièrement virulente d'égoïsme national, qu'il refuse d'assimiler.

On a fait une mauvaise conscience au peuple français, voilà ce qu'un Prince doit savoir. Le peuple français a cru cent cinquante ans marcher en tête du Progrès, de la Civilisation, des Lumières. L'homme de 1789 avait une bonne conscience. L'ouvrier des barricades de juin avait une bonne conscience. Ils étaient sûrs de lutter contre la tyrannie, en faveur des opprimés. On a fait une mauvaise conscience au peuple français. Il se demande maintenant à quoi il peut bien servir dans le monde. M. Staline lui a pris l'égalité. M. Roosevelt la liberté. Dans nos querelles partisanes, la conscience du peuple français a tenu la place du *no mans' land* c'est le lieu où on se bat, rien davantage. Comme des engins brisés sur le champ de bataille, la conscience du peuple français est jonchée de tous les mensonges que chaque parti jette après s'en être servi, ou qui leur servent tour à tour. Qui se soucie de la conscience du peuple français ? Les intellectuels de droite et de gauche vont y échanger des coups, mais ils n'y reçoivent pas leurs amis. En 1926, par exemple, M. Doriot traitait de brigandages nos expéditions coloniales. La Droite, blessée à mort par ce propos sacrilège sanglotait sur l'épaule du Peuple français. Dix ans plus tard, lorsque le peuple français menaçait de s'apitoyer sur les femmes et les enfants nègres bouillis dans l'hypérite, la droite mussolinienne, un peu rouge, les yeux luisants et les reins moites le renvoyait jovialement à ses occupations, avec une bonne claque sur l'épaule : « Est-ce que nous n'en avons pas fait autant, farceur! Est-ce que nous nous sommes gênés avec les nègres, grand nigaud ! »

Monseigneur, on vous dira que ces faits n'ont aucune importance, que c'est là une cuisine politique, qu'un Prince ne saurait se commettre jusqu'à goûter la soupe que son peuple mange. C'est pourtant par de telles fautes que la Monarchie s'est perdue. C'est par de telles fautes que les politiques d'Eglise ont perdu la chrétienté.

Monseigneur, on vous dira que les gens de gauche en font avaler d'autres au pauvre peuple, d'autres couleuvres. Seulement, voyez-vous, ils s'y prennent mieux. Ils savent que le peuple ne comprend pas l'ironie, aussi se gardent-ils bien de lui rire au nez. Lorsqu'ils prêchaient le Pacifisme, c'était en face d'une Allemagne désarmée, d'une Allemagne que le général Foch lui-même proclamait désarmée. C'était dans le moment où la France dominait l'Europe, et on pouvait entendre dire chez le marchand de vin, par d'anciens combattants socialistes : « Après tout, ces gens-là étaient comme les copains, forcés de se battre, et ils se sont rudement bien battus. Voilà dix ans que leurs gosses ne mangent plus à leur faim. On peut bien maintenant trinquer un coup ensemble, pas vrai ? » Au lieu que la Droite crie « Vive la Paix ! » à la minute même où chaque Français se tâte anxieusement les fesses et se demande si les dictateurs vont recommencer. Je reconnais bien volontiers que les politiciens de gauche ne sont pas moins canailles. Ils sont seulement moins bêtes. Lorsqu'ils parlent au peuple français ils ne respectent nullement sa bonne foi, mais ils ménagent son amour-propre. Ils exploitent sa générosité, son amour de la justice, sa foi naïve dans l'Avenir. Même lorsqu'ils s'adressent à lui, les gens de droite ont toujours l'air de ne parler que pour eux, entre eux, avec des clins d'œil. Leurs reproches sont aussi durs que leurs flatteries sommaires, accablantes. Chaque fois qu'ils se mettent en frais à l'égard du monde ouvrier, ils me rappellent cette dame d'œuvres qui après avoir choisi, chez le marchand, des laines pour son pull-over, disait à la vendeuse : « Et maintenant, donnez-moi de la laine de pauvres. »

Il faut qu'un jeune Prince français sache cela. Je ne suis nullement ennemi de la classe bourgeoise. Je ne nie pas le caractère précieux de certaines valeurs dont elle a la garde. J'assure qu'elle ne les sauvera pas toute seule, qu'elle les perdra, qu'elle les perdra sans retour. Elle n'a déjà que trop perdu. Forte et patiente jadis pour garder, elle est sans génie pour reconquérir, ce qui est la forme de conquête la plus difficile. En parlant ainsi, je parle le langage de la raison. Le foudroyant triomphe des dictatures s'explique parce qu'elles se sont faites précisément contre elle, et Franco, certes, n'eût pas pesé lourd si la mystique antibourgeoise des Phalanges n'avait soulevé le peuple espagnol d'une si puissante vague de fond. Quel homme bien né ne sentirait du dégoût envers une classe assez lâche pour s'associer de loin au triomphe d'hommes qui ne lui appartiennent pas, la méprisent et rejettent son amitié, s'ils daignent accepter, hors de leurs frontières, ses services ?

Il faut qu'un jeune Prince français sache cela. On ne manquera pas de lui dire que la Bourgeoisie n'est qu'un mot vague, emprunté au vocabulaire démodé des rapins et qui désigne une réalité plus vague encore. Je le reconnais volontiers. A quoi bon s'adresser à l'économiste, au sociologue, au statisticien, lorsque l'histoire parle assez haut ? Il fallait cent ans jadis pour faire un bourgeois, l'espèce était connue. Le malheur et l'opprobre du monde moderne, qui s'affirme si drôlement matérialiste, c'est qu'il désincarne tout, qu'il recommence à rebours le mystère de l'Incarnation. La bourgeoisie s'est désincarnée, elle aussi, elle n'est plus guère qu'un esprit, elle sera peut-être demain une religion, et une religion sanglante. Je dis que ce fait ne saurait surprendre. La bourgeoisie actuelle n'a pas de papiers. Elle s'est constituée peu à peu avec tous les déchets de l'ancien Ordre français, déchets de la grande et de la petite noblesse, déchets de la haute et de la basse bourgeoisie, rognures du peuple. Il a fallu plus d'un siècle pour que ce ramas réussisse à se définir lui-même, à tirer de lui les éléments d'un idéal commun. Issu du désordre, sans racines dans le passé, assuré de ne devoir l'existence qu'à un concours de circonstances favorables, la bourgeoisie s'est vouée à la défense du provisoire auquel elle a tranquillement donné le nom d'ordre. Incapable de renier le capitalisme dont elle était née, elle a prétendu fixer la roue de cette gigantesque machine, dont elle savait qu'un tour de plus la restituerait au néant.

Un Prince français doit savoir cela. C'est à la création du prolétariat, au déracinement, à la dénationalisation économique et sociale du prolétariat que la bourgeoisie française a dû d'occuper dans l'histoire moderne une situation privilégiée. D'une manière générale, il est juste d'écrire que la bourgeoisie, depuis cent cinquante ans, peut être définie : la classe française dont le sort, dès l'origine, s'est trouvé lié à l'économie libérale qui a défendu pied à pied le régime inhumain de l'économie libérale, qui s'est laissé arracher une par une, ainsi que des concessions gratuites, les réformes indispensables. Je ne prétends pas qu'elle ait chassé le prolétariat de la Nation, elle l'a trouvé dehors presque en naissant, mais elle a soigneusement gardé les brèches. « Devenez bourgeois, soyez des nôtres, ou crevez, misérables ! » Voilà son cri, voilà le cri de ses entrailles. Un jeune Prince français doit savoir cela.

Un jeune Prince français doit savoir que les hommes de mon âge ont connu le temps où Léon XIII passait pour révolutionnaire, où pour avoir parlé du rôle social de l'officier le futur maréchal Lyautey se faisait traiter de dangereux novateur, où le seul mot de syndicat portait au rouge incarnat le front austère des Bien-Pensants. Je ne dis pas que ces gens-là fussent des ogres. Bien au contraire. Ce qui a rendu cette classe si néfaste à mon pays, à la Monarchie, c'est que, chaque fois qu'elle défend ses intérêts, elle s'imagine remplir le premier de ses devoir sociaux. En payant dix francs par mois une Bretonne de quinze ans qu'elle nourrissait de débris, puis, qu'elle envoyait coucher sous les combles, à la merci des entreprises du premier venu, pour la mettre enfin à la porte, enceinte et tuberculeuse, la petite bourgeoise ne croyait nullement mal faire. L'état d'esprit de ces inconscientes était exactement celui de la respectable dame anglaise qui après avoir lu le chef-d'œuvre de Charlotte Brontë concluait dédaigneusement : « En bref, l'autobiographie de Jane Eyre est une œuvre anti-chrétienne. C'est une longue protestation contre les privilèges des riches et les privations des pauvres, c'est-à-dire une protestation contre la volonté de Dieu. » L'affreuse malice d'une telle parole se mesure à ce qu'irréfutable en apparence, elle flanque par terre tout le christianisme, elle annule vingt siècles de chrétienté. Pour employer le langage de la théologie morale, la bourgeoisie — ou du moins ce que nous appelons de ce nom s'est « formé une conscience ». Ou plutôt ce sont ses intellectuels qui l'ont formée. Nous ne refusons pas à la bourgeoisie le droit de se défendre contre le communisme, nous lui reprochons de s'en défendre dans le même esprit qu'elle s'est défendue jadis contre un syndicalisme légitime, de se défendre d'une telle manière, d'un tel ton, d'un tel accent, qu'elle place l'ouvrier français dans l'alternative d'être communiste ou bourgeois, de choisir entre Staline ou Tardieu. Un Prince français doit savoir cela.

Un Prince français ne peut supporter que Doriot parle en maître à son peuple. Si un Prince français veut mesurer la profondeur du fossé infranchissable derrière lequel la bourgeoisie prétend défendre, avec des droits certains, des privilèges sans consistance, il n'a qu'à lire chaque semaine *Gringoire*. Un Prince français ne peut pas attendre que son peuple se rende sans conditions à *Gringoire*. En deux mots comme en cent, le peuple français ne peut confier ses destinées à M. Chiappe. Que la bourgeoisie ait cru pouvoir envoyer de tels ambassadeurs au prolétariat français, cela fait mal juger de son bon sens. Quel est l'homme du Pays Réel capable aujourd'hui de remplir ce rôle ? C'est une question qu'un Prince français doit se poser. S'il n'en existe pas au Pays Réel, nous aurons la preuve que ce Pays Réel n'a pas de réalité : « Mais le Pays Réel fait front contre le Communisme ? » Vous voulez dire que la bourgeoisie a chargé ses intellectuels de prendre position contre une doctrine ennemie — à la manière des dominicains prêchant contre les Cathares. Et si les raisonnements n'y suffisent pas, la bourgeoisie française fera signe à ses gendarmeries — toujours comme les dominicains. Cette joute intellectuelle laisse le pays indifférent. Les intellectuels de gauche comme les intellectuels de droite ont leur siège fait, rien ne les empêchera de poursuivre leur carrière d'intellectuel sur le terrain qu'ils ont choisi. Malheureusement les premiers ont su créer une mystique populaire du communisme et du socialisme. Au lieu que les autres ont réussi ce tour de force; ils ont mis la part de vérité dont ils disposent hors de la portée des pauvres bougres. Sous la forme du Nationalisme barrésien ou maurrassien, le patriotisme lui-même est devenu difficilement assimilable à ceux que les gens de droite traitent dédaigneusement de primaires. Et puisque je viens d'écrire ce mot, maintenant démodé, qu'est-ce qu'un Prince français peut attendre de bon d'un parti assez bête pour avoir déchaîné cette campagne contre les Primaires, humiliant ainsi trente-cinq millions de Français et leurs maîtres ? Inutilement, d'ailleurs, car les Primaires restent primaires, ce sont des irréductibles, il n'y a plus qu'à les faire fusiller par les agrégés.

Un Prince français doit savoir cela. Les travaux ingénieux des intellectuels nationaux ne peuvent ainsi servir qu'à la bourgeoisie, à son usage. En proclamant le bienfait social de l'Eglise, la majesté de sa hiérarchie, la prudence de ses diplomates, la profonde psychologie de ses casuistes, les services rendus par elle aux humanités gréco-latines, l'opulence raffinée de ses Papes de la Renaissance, croit-on que M. Maurras ait beaucoup de chances de ramener le peuple au catholicisme ? C'est par la charité du Christ que les pauvres diables sont introduits dans son Eglise, l'autre voie restant ouverte aux hommes d'Etat et aux banquiers.

Puisque tout le monde se vante d'être réaliste, de s'en tenir au fait, voilà un fait : l'impuissance de la Presse de Droite vis-à-vis des masses françaises. La presse de droite n'a jamais été si puissante, et elle ne gagne rien sur sa gauche. L'opinion française passe au travers, comme à travers un crible. Quel est ce mystère ?

Monseigneur, on vous dira que la bourgeoisie parle la voix du devoir, et que l'ouvrier français refuse obstinément d'écouter ce grave langage. Je réponds, moi, que son langage est double, qu'elle a toujours parlé ensemble le langage du devoir et des affaires. Il faudrait choisir. Une pétition signée de plusieurs membres de l'Académie des Sciences Morales, parmi lesquels je reconnais le nom d'un des hommes que je respecte le plus, M. Georges Dumas, signalait dernièrement « la prospérité inouïe, jusqu'ici inconnue, qu'accusent les bilans de toutes les usines fabriquant l'eau-de-vie, les apéritifs et les liqueurs. Les dividendes distribués par ces entreprises atteignent 100 % tandis que des réserves s'élevant à 50 et 60 millions sont constituées. Les effets morbides croissent en proportion des dividendes : le nombre des crimes augmente constamment, et tous les départements sont obligés d'agrandir les asiles d'aliénés ». J'attends que les incendiaires de rate, et les petits actionnaires, leurs besogneux complices, soient chassés du Pays Réel. Ils font par an plus de communistes que tous les rédacteurs de *l'Humanité* ensemble. Il est vrai qu'ils les empoisonnent à mesure. Ceux qui en réchapperont par miracle, hé bien quoi, on les fusillera le jour venu, au nom de la Morale. Oh ! je sais bien, vous me direz : c'est la vie. De telles expériences, il arrive que les hommes de mon âge tirent une espèce de jouissance amère. Cette jouissance est elle-même un poison. Vous ne la proposeriez pas à vos enfants. Ne permettez pas que le peuple y touche, si vous ne voulez pas qu'il devienne enragé. J'ignore, il m'importe peu de savoir, quelle doit être, en face de ces contradictions douloureuses, l'attitude du moraliste. Mais je sais qu'un jeune Prince français sera toujours d'accord avec le peuple et les enfants.

Il n'y a dans mes propos rien que de raisonnable. J'écris des choses raisonnables. Je ne les écrirais pas autrement si j'étais chargé d'ans, d'honneurs, de dignités, collègue du général Weygand au Canal de Suez, ou premier Président de la Cour de Cassation. On ne reconquiert pas un trône comme on administre une Société par actions, ou préside une Académie. L'amour d'un peuple est peut-être une expression vide de sens pour un notaire ou un huissier. Mais l'huissier lui-même devra m'accorder que la Monarchie restaurée aura trop de sacrifices à demander demain pour qu'elle remette à plus tard la magnifique aventure de gagner les cœurs. A ce point de vue, le vocabulaire des droites, comme leur mystique, ne saurait servir à rien. La droite parle depuis trop longtemps déjà le langage du cynisme politique et le cynisme politique n'est pas un état d'esprit populaire. Notre peuple peut être quelque temps la dupe d'un Machiavel comme Staline, mais on ne le convertira jamais au machiavélisme. Il serait beaucoup moins long de le refaire chrétien.

Aujourd'hui s'effondre sous nos yeux cette

espèce de dictature de la conscience nationale que le bourgeois conservateur s'était cru digne d'exercer. Cette dictature reposait sur une équivoque. La bourgeoisie défend la propriété. Mais elle n'en défendait pas moins le principe au temps où elle était voltairienne et libérale, violemment hostile à la religion. A mesure que s'organisait contre elle le monde ouvrier, on l'a vue s'instituer peu à peu protectrice des valeurs spirituelles dont l'immense prestige avait l'avantage de couvrir utilement ses privilèges. Personne ne l'ayant jamais priée de montrer ses titres — pas même l'Eglise — elle s'est trouvée jouir peu à peu d'une situation de fait. Au temps où la législation libérale fournissait à la bourgeoisie tout le matériel humain qu'elle pouvait souhaiter, au prix le plus bas, la bourgeoisie était libre-penseuse, et c'était les hommes en blouse qui allaient à la messe. Depuis que le socialisme menace, ce sont les prolétaires qui crient « A bas l'Eglise », et les bourgeois qui font leurs Pâques. Je ne dis pas que cette manœuvre ait été concertée. La nature des choses voulait qu'elle s'effectuât, voilà tout. Elle est la somme d'une infinité d'actes et de réactions plus ou moins conscients, analogues aux réflexes de défense. Les phénomènes sociaux s'accordent très bien avec la relative bonne foi de ceux qui en sont à la fois les auteurs et les éléments. Lorsqu'un prédicateur déclarait en chaire que la religion est la meilleure sauvegarde des propriétaires, cette déclaration n'était pas sans intérêt pour ces derniers. On comprend parfaitement qu'un ancien négrier des filatures, gagné par l'argument, ait fini par devenir bon paroissien. Il l'était de bonne foi. Il n'eût cessé de l'être que si le même prédicateur fût remonté en chaire pour flétrir les filateurs négriers — ce qui, je me hâte de le dire, devait arriver rarement, l'expérience étant irréversible, en ce temps-là. Si les usiniers de 1830 avaient défendu la propriété au nom de Voltaire et les ouvriers condamné son abus au nom de Jésus-Christ, la situation eût été très périlleuse pour la bourgeoisie. En se ralliant à l'Eglise, elle était sûre de rejeter dans l'autre camp ses adversaires, les transformant ainsi en ennemis de la Société. Il faut qu'un jeune Prince français sache cela.

Ces paroles sont celles d'un royaliste, elles sont dans le droit fil de la tradition royaliste. Je n'ai pas à apprendre la tradition royaliste de M. Doriot, de M. Bailby ou de M. Tardieu. Quand on se fait quelque idée de ce qu'était l'ancienne France, si une et si diverse à la fois, où chaque Français pouvait trouver sa place, l'occuper avec honneur, il serait inouï de supporter que la coalition d'éléments disparates, connue sous le nom de Pays Réel, et qui s'exprime par un ensemble d'organes de presse, aussi disparates qu'elle-même, puisse confisquer à son profit l'immense capital moral que représente aux yeux du monde civilisé le nom de France, sous prétexte qu'elle s'oppose au socialisme. Je répète que n'importe quel Français ayant la moindre conscience de la fonction royale sait parfaitement que les mots communisme et socialisme ont un contenu abstrait, qui n'intéresse que les doctrinaires. Un Prince ne traite pas avec des systèmes. Il n'y a pas pour lui de communisme et de socialisme, il ne connaît que les socialistes et les communistes français. La lutte contre le communisme et le socialisme ne peut conduire qu'à la Croisade universelle dont la France fera les frais, et dont les dictatures déjà constituées recueilleront les bénéfices. Le trust international de l'antisocialisme ne saurait que favoriser l'adversaire qu'on rêve d'anéantir. Dénationaliser les Rouges, faire des Rouges une espèce unique, classée, identique à elle-même dans tous les pays et partout vouée à la destruction, c'est constituer une espèce rivale de Blancs et se dénationaliser soi-même. Qui se permet de mettre dans le même sac le moujik et le paysan français communiste, doit en venir nécessairement un jour à trouver naturel que le voisin vienne l'aider à exterminer la vermine. Il y a des milliers de Français de droite, parfaitement honnêtes, qui n'éprouveraient encore aujourd'hui que peu de scrupules à se faire aider par les fonds de propagande fasciste, satisfaits de n'en rien retenir pour eux-mêmes. « Pourquoi pas ! Les communistes reçoivent bien de l'argent de Moscou ? »

Un Prince français doit savoir cela. Il ne s'agit pas de ménager les partis adverses, ou les utiliser l'un contre l'autre. C'est là peut-être un procédé de gouvernement, une position où se maintenir, ce n'est pas la route du retour. Au degré d'échauffement des passions rivales, il est facile de prévoir qu'on mécontenterait ainsi tout le monde, sans gagner ceux qu'on voudrait atteindre, les hommes de bonne volonté. Il s'agit de briser une Union nationale mal faite, comme le chirurgien casse un membre dont la fracture s'est ressoudée de travers. Chaque jour perdu consolide la mauvaise fracture, elle sera demain sans remède. La restauration de la Monarchie ne peut plus être une entreprise comme une autre, il est déjà trop tard, il faut qu'elle soit une aventure, — ou si l'on n'a pas peur des mots, un miracle. Il n'y a pas de miracle sans charité, pas de charité sans justice. Le peuple français veut la justice. Il faut lui donner son poids de justice[1].

Le Droit, la Justice, voilà les mots que j'en-

1. On ne saurait faire le procès du syndicalisme encore en pleine évolution révolutionnaire sans établir le bilan des expériences sociales bourgeoises. J'ai renvoyé à la fin de ce livre des pages qu'un Français, il me semble, ne lira pas

tends bafouer depuis que j'ai l'âge d'homme, parce que le peuple français en compose soigneusement les majuscules, écrasant sa plume sur le papier, et tirant la langue. Ce geste maladroit me paraît infiniment plus noble que la pirouette élégante et cynique des petits cuistres.

Il est probable que M. Hitler, écolier médiocre, en écrivant *Mein Kampf* a fait aussi des pâtés. En ce temps-là, M. Hitler n'était pas demi-dieu. Il a parlé un langage simple, exprimant avec une application touchante, des idées simples, auxquelles il trouvait sans doute quelque profondeur. Elles n'étaient pas profondes, mais elles allaient loin, elles allaient loin et profond dans le cœur allemand. Les gens trop malins ne savent pas parler ce langage-là. Il n'y a sans doute pas une ligne de ce livre où les cuistres conseilleurs n'eussent trouvé à reprendre, et c'est pourquoi il a été dévoré par des millions d'hommes. Il n'y a pas un acte d'Hitler qui n'eût été qualifié par eux de folie, pas une espérance de cette âme forcenée, qui n'eût mérité à leurs yeux, le nom d'illusion. A la prodigieuse fortune d'un tel homme, il n'est qu'une raison. Il pensait, croyait, désirait en enfant parmi des vieillards. Il réalisait un

---

sans profit. Il y trouvera la preuve que la conception bourgeoise du travail nous eût aussi sûrement mené au rétablissement aggravé de l'esclavage, que le communisme à la barbarie. — Cf. annexe I : extraits de l'*Histoire des Idées au XIXe siècle*, Bertrand Russell (N. R. F.).

rêve d'enfant. C'est une chose terrible que la solitude de l'enfant parmi les hommes, et quand un être a rompu cette solitude, il voit accourir les foules, son destin éclate comme la foudre.

Je ne dirai rien du jeune Prince dont la pensée, je peux écrire le visage, m'ont accompagné tout au long de ces pages qui me paraissaient longues hier, que je trouve aujourd'hui si courtes, trop courtes. Parler de lui l'engagerait trop, trop pour le peu que je suis, que je veux être. Je sais seulement qu'il a fait, dans le secret de son âme, un pacte avec l'enfance, avec l'enfance française, avec la jeunesse de mon pays. Je prie Dieu qu'il tienne ce pacte jusqu'au bout. Il ne faut plus décevoir les enfants de France, jamais. La seule tradition de ce peuple, qu'aucune secte, qu'aucun parti n'ose, n'est capable de revendiquer, la seule qu'aucun parti, qu'aucune secte ne saurait assumer, parce qu'elle ferait plus que les écraser, elle les rendrait ridicules, c'est celle de la chevalerie chrétienne française, c'est celle de la chrétienté, c'est celle de l'honneur de la chrétienté. Elle va bien à ce jeune Prince. Elle est faite pour lui. On ne la lui disputera pas. En face des demi-dieux de l'Europe, comme en face des politiques — oui, face aux politiques de gauche, de droite ou même d'Eglise — face à ces circonspects sans prudence, qu'il se demande avec un sourire — car il faut toujours sourire aux grandes choses qu'on tente — : « Que penserait de tout cela saint Louis ou Bayard ? » Alors, quoiqu'il dise, son peuple comprendra.

On a mis dans l'honnête tête de ce peuple que le gouvernement des hommes est une entreprise de dissimulation et de mensonge, on a mis dans la tête de ce peuple qu'on gouvernait les hommes par la force et par la ruse. Il est si simple et si gentil qu'il a fini par le croire, qu'il ne se souvient même plus d'avoir été chrétien. Si on le priait de choisir son chef, il répondrait en haussant les épaules : « Que m'importe ? Choisissez le plus menteur. » Aussi longtemps que le peuple français pensera ainsi, j'affirme qu'il sera ingouvernable. Je prédis qu'il fichera tout par terre pour courir au premier venu qui lui promettra n'importe quelle justice, fût-elle aussi froide et roide que l'enfer. La France sera demain à l'homme qui lui dira la vérité, qui la lui dira tout entière. Le plus déhonté des réalistes ne saurait nier cette force brisante d'une parole libre et sincère, sa puissance de propagation. De la parole qu'on sert et qui ne sert personne. Elle est là, il suffit de la prendre. « Mais il faut manœuvrer », ripostent les sages. Les combinards n'oublient qu'une chose, c'est que le succès de leurs combines dépend du bon vouloir des combinés. Or, les combinés se refusent à entrer dans la combine. Les manœuvriers n'ont plus personne à manœuvrer, les manœuvriers manœuvrent des rames de papier. La vérité sur l'Ethiopie ! la vérité sur l'Espagne ! la vérité sur les Rouges, les Noirs, les Blancs, les Bleus, les Verts et les Violets, la vérité sur l'Arc-en-ciel ! « Mais il y a des vérités dangereuses ? » Alors dites les toutes, elles se corrigeront l'une par l'autre. Vous soutenez systématiquement tous les prestiges, c'est toutes les vérités qu'il faut défendre, les prestiges sont faits pour les vérités, non pas les vérités pour les prestiges. Les prestiges sont durs à soutenir, c'est moi qui vous le dis. De plus, vous mettez ainsi le peuple hors du jeu, car le peuple a des droits, mais il n'a pas de prestiges. Voulez-vous mettre le peuple hors du jeu ? Les déhontés m'accusent de manquer de sens pratique et d'expérience. C'est l'expérience qui m'a au contraire appris que les déhontés se déshonoraient toujours pour rien, dans ma jeunesse je les aurais plutôt cru malins.

Je suis un homme pratique. *L'Osservatore Romano* par exemple me donne des avertissements, je me soucie des avertissements de *L'Osservatore Romano* comme d'une mouche. J'ai vu fonctionner les méthodes staliniennes à Majorque, je l'ai dit. Je ne demandais nullement aux gens de la Croisade (est-il encore un déhonté pour écrire ce mot sans rougir ?) de faire la guerre sans tuer personne. Je m'étonnais seulement qu'ils se crussent autorisés par le Bon Dieu à massacrer sans jugement. Supposez qu'aux environs de décembre 1936, le

Saint-Père eût tenu publiquement ce langage à Franco : « Mon cher fils, la guerre civile est toujours un grand malheur, mais enfin vous êtes général, c'est votre métier, c'est votre affaire. Nous vous sommes personnellement obligé de protéger nos prêtres. Quant à nos morts, vengez-les si vous voulez, mais ne vous recommandez pas de nous sur ce point, car le catéchisme n'encourage personne à se venger. Vos intentions, dites-vous, sont bonnes, ainsi que celles de vos alliés, MM. Hitler et Mussolini. Si elles sont bonnes, Dieu le sait. Continuez donc à vous battre, si vous ne pouvez faire autrement. Mais vos adversaires se disent aussi les nôtres. Dans la mesure où ils nous méconnaissent, nous devons veiller à ce qu'il obtiennent de vous, qui vous proclamez notre fils soumis, sinon l'indulgence, du moins l'équité. On nous dit qu'à Majorque, vous achevez les blessés, massacrez les prisonniers, faites tuer comme des chiens, par vos policiers, de malheureux pères de famille n'ayant commis aucun acte répréhensible. Souffrez que nous enquêtions sur ces faits atroces, ou cessez de vous dire notre champion. Vous me faites entendre que si ces faits sont dévoilés, ils me compromettront autant que vous. L'Eglise n'est compromise que par le mensonge. Nous nous tairons si nous apprenons que vos combattants respectent les lois de la guerre, vos magistrats, celles de la justice, vos policiers l'humanité. Au cas contraire, nous parlerons car notre parole peut encore sauver des milliers de vies humaines. »

Oh ! bien sûr je ne propose nullement ces pages comme un modèle de rédaction ecclésiastique, le style ecclésiastique a ses traditions comme un autre. Je prétends seulement qu'un tel langage n'eût scandalisé personne. N'importe quel homme de bonne foi m'accordera qu'à la place de M. Staline, il eût plus redouté du Pape un désaveu ferme et modéré de la Terreur Blanche qu'une sorte d'indifférence affectée dont on sait bien qu'elle est feinte et d'ailleurs exactement informée. Toute excuse ou toute justification d'une Terreur, quelle qu'elle soit, excuse et justifie M. Staline. Aussi longtemps que l'opinion se tait, il peut être préférable de ne pas provoquer des questions gênantes, mais lorsqu'elle interroge, il me semble extrêmement dangereux de ne pas répondre ou de répondre à côté ! « L'Action Catholique », par exemple, proteste en Allemagne qu'elle est une association parfaitement inoffensive de personnes pieuses qui mettent en commun leurs prières et leurs bonnes œuvres. En Espagne, la même association espionne, dénonce, emprisonne, fusille, justifie, approuve, acclame les épurateurs. Il y a seulement cent cinquante ans, pour se rendre compte de ces singulières contradictions, un Allemand eût dû faire les frais d'un voyage en Espagne, un Espagnol voguer vers Hambourg. Aujourd'hui, l'un et l'autre n'ont qu'à déplier leur journal du matin. Ce fait si capital échappe-t-il encore aux diplomates d'Eglise ? N'est-il jamais parvenu à leur connaissance que le public, dressé à la lecture des gazettes, déchiffre les notes de chancellerie qui ont coûté tant de peine à leurs auteurs, comme d'innocentes charades ? Le mensonge massif, énorme, voilà seulement ce qui l'assomme, le jette au sol ivre mort, et vous lui servez une fade liqueur de famille, à peine capable de rougir les pommettes d'une visitandine ? Puisque vous ne pouvez aller dans le mensonge jusqu'au péché mortel, cessez de taquiner le mensonge, ne l'excitez pas pour rien.

Je ne crois pas manquer de respect au Souverain Pontife en écrivant que je préfère n'avoir pas personnellement assisté à la Messe d'action de grâces pour le rétablissement de la Paix en Espagne, célébrée au Vatican. La Paix entre quoi ? Entre qui ? Une si importante solennité religieuse, diplomatique et militaire ne devrait pas se célébrer hors de la présence des adversaires réconciliés. Vous me répondrez qu'il ne s'agit peut-être pas de la Paix, au sens strict du mot, mais de la cessation des hostilités. Il est donc fâcheux pour vous que les journaux aient précisément signalé ce jour-là le redoublement des exécutions sommaires en Espagne. Si après avoir imposé demain à l'Italie une capitulation sans conditions, nous mettions nos adversaires hors la loi, les emprisonnant, les fusillant ou les abattant par milliers, est-ce que le Souverain Pontife ferait célébrer à Rome, une Messe d'action de grâces pour la Paix, avec au premier rang, l'Etat-Major des Epurateurs ? Allons ! Allons ! Du levant au ponant, du midi au septentrion, tout le monde sait, tout le monde a compris. Si l'infortuné président catholique basque, M. Aguirre, avait encore une chance, il n'obtiendrait pas grand'chose, car vous ne donnez pas de bon cœur aux vaincus. Mais enfin vous feriez estimer sa chance par les spécialistes et on lui prêterait juste ce que vaudrait sa chance, pas davantage. Seulement, M. Aguirre est un vaincu au second degré, un vaincu vaincu, il n'a même plus droit aux bonnes paroles, on lui fera discrètement promettre, comme au Négus, le paradis, s'il se tient tranquille. Bref, ces bonnes gens auront leur revanche dans l'autre monde. ET VOUS ?

J'écris cela en souriant. Comme tout pauvre chrétien, j'attends la vie éternelle, je puis même dire que je n'attends plus que cela. Je sais qu'elle sera aussi simple que celle-ci paraît compliquée. Le diable est un grand artiste perdu par le goût du cocasse et du monstrueux. Lorsque son règne aura pris fin, nous redeviendrons des enfants ; l'Ange du Bizarre qui s'amuse à sculpter comme un marron d'Inde le visage sincère, le visage sacré de l'enfance, l'humoriste féroce auquel nous devons la création de ces deux caricatures de l'enfance, l'homme mûr et le vieillard, ne pourra plus rien contre nous. Quel plus grand honneur puis-je faire à mes Maîtres que de leur parler dès aujourd'hui en enfant, puisque nous redeviendrons bientôt des enfants ?

Hé bien, je ne crois pas à la Ruse, voilà ce que je voulais dire. La Ruse est de ménager les Puissants, mais si ceux que nous nommons les Puissants ne l'étaient que grâce à la complicité des hommes mûrs et des vieillards, qui les ménagent ? Ils ménagent les Puissants. S'ils ménageaient maintenant les faibles pour voir? Aux Puissants l'honneur, aux faibles la charité. Et si vous faisiez aux faibles la charité de l'honneur ? Cette aventure si simple, en somme, ce changement de front, n'a jamais été tenté, cette aventure courue. C'est que le bénéfice s'en ferait trop attendre, comprenez-vous ? Si ces gens d'Eglise, dès l'avènement du capitalisme, avaient accompli leur devoir, ils auraient probablement semé dans les larmes ce que nous récolterions aujourd'hui dans la joie. C'est ce que le monde appelle une politique de dupes. Le monde juge qu'il vaut mieux scandaliser les faibles qu'offenser les forts, car la colère des forts éclate sur-le-champ, au lieu que le scandale des faibles est une graine lente à mûrir et lorsque la plante empoisonnée atteint sa taille, les racines sont loin sous la terre, le scandale est oublié depuis longtemps, on peut la faire jeter bas et brûler par les forts. Oh, non, je ne crois pas à la Ruse ! J'y crois de moins en moins. La Ruse n'a jamais réussi qu'à substituer un mal à un autre, la peste au choléra. Je répète que je parle selon le bon sens, et si le mot Ruse vous semble irrespectueux, vous pouvez le remplacer par un autre. Depuis tant d'années, les politiques répètent : « Il y a des gens qui ne nous comprennent pas. Un jour il nous reviendront, et beaucoup d'autres avec eux. » Mais ceux qui partent ne reviennent plus. On vous voit signer des Concordats avec tous les Princes de ce monde et c'est derrière les demi-dieux que des jeunesses entières marchent en chantant. Nous avons déjà perdu les Pauvres, allez-vous laisser faire, derrière vous, par un paradoxe inouï, l'alliance de la Jeunesse et de la Pauvreté ?

Je ne crois pas manquer de respect à n'importe quelle politique, en m'efforçant de la juger sur ses résultats. Qu'un vieux pape exténué, voyant flotter la Croix gammée sur sa ville, poussé à bout par l'outrage jette un cri de douleur et de colère, un cri d'homme, et tout l'univers civilisé répond par une sorte de gémissement profond, qui épouvante les Maîtres. Un cri d'homme, allez, c'est quelque chose, c'est quelque chose qui demain n'aura pas de prix, lorsqu'on n'entendra plus, jour et nuit, sur les hauts lieux de l'Esprit, que le tic-tac des machines à écrire, s'efforçant de couvrir celui des mitrailleuses. Oh ! je sais bien : en les opposant les uns aux autres par des manœuvres savantes, vous finirez peut-être par avoir raison des Dictateurs. Qu'est-ce que vous ferez des jeunesses héroïques, des folles jeunesses héroïques, lancées par eux vers la gloire et la mort ? Après qu'elles auront goûté le vin terrible, leur offrirez-vous le biberon de l'humanisme chrétien des Révérends Pères Jésuites, cet humanisme chrétien dont M. J. Maritain disait récemment « que l'expérience en avait été faite jusqu'à la nausée, la nausée divine, car c'est le Monde de cet humanisme-là que Dieu est en train de vomir » ? Nous ne savons pas ce que vous donnerez à cette jeunesse affamée d'action, mais nous savons ce que vous lui donnez, quand elle demande de la beauté[1].

1. « J'ai déjà dit combien l'imagerie de Saint-Sulpice, ces signes conventionnels abstraits, presqu'invisibles à force de réalisme, ces « pense-bête » posés aux quatre coins de l'Eglise, me semblaient préférables encore aux stylisations sèches, hâtives, désespérées, qui sont comme la caricature atroce — et cette fois visible — du visage chrétien... Nous voyons grandir, durcir, se multiplier ces églises mortes où tout n'est que hideur — matériau, proportion, style ou styles — avec leur garniture de saints de glace, leurs verres coloriés hurlants, leurs ornements vulgaires, leur mobilier de bazars... Il n'est rien de plus triste que d'assister à cet étouffement d'une chose vivante, vitale pour les chrétiens, par des gens souvent bien intentionnés, avec la complicité inconsciente d'un clergé ignorant le mal qu'il fait. »

Esprit, 1er juillet 1938.

Il faut qu'un jeune Prince français sache cela. Le Monde a perdu l'honneur, le monde ne peut pas vivre sans honneur. Je ne souhaite nullement que l'Eglise lie son sort à celui de la Légitimité, car elle doit se tenir prête à survivre à tout. Je conteste moins encore le principe de son opportunisme sacré. Je trouve bon qu'elle traite avec les régimes de fait, car elle ne peut s'arrêter nulle part, elle est emportée vers l'Eternel, dans une trajectoire inflexible, ainsi que la pierre d'une fronde. Cela, nos pères le savaient comme nous, mais cela ne déliait pas leurs consciences. La sublime infidélité de l'Eglise à tout ce qui n'est pas elle avait pour contrepoids temporel leur fidélité temporelle. C'est sur cette fidélité temporelle qu'ils fondaient l'honneur et, l'étendant elle-même des princes du royaume visible à ceux du monde invisible, le pauvre, le faible, la veuve, l'orphelin, l'abandonné, ils fondaient du même coup l'honneur chrétien.

Heureux temps, temps sincères, où la soumission au pouvoir établi, quel qu'il fût, n'était qu'un problème, entre tant d'autres, de la théologie ! car vous aurez beau faire et beau dire, les peuples ne se posent pas le problème comme vous, ils en traduisent la donnée dans leur langage, dans le langage du temporel. Se soumettre au pouvoir établi, quel qu'il soit, ces mots n'ont qu'un sens à leurs yeux : se tenir du côté du manche. Les homélies et les mandements n'y peuvent rien. Ils n'y peuvent rien parce que toute l'éloquence du monde ne saurait prévaloir contre l'incessant scandale donné par les lâches, les ambitieux, les cupides, toujours prêts à invoquer l'exception du jeu. « Il s'agit de l'intérêt supérieur des âmes », dites-vous. Soit. Nous le savons. Mais les pauvres diables ne disposent d'aucun moyen pour évaluer les gains surnaturels de chacun de vos ralliements. S'ils voyaient distinctement monter les âmes au Paradis, cela réconforterait grandement leur foi, calmerait leurs scrupules. Ils ne voient, hélas ! que ce qui est visible, les privilèges confirmés, les biens mobiliers ou immobiliers restitués. Il n'est d'ailleurs jamais là-dedans question d'eux, pauvres diables ! Je ne crois pas m'avancer trop en affirmant qu'on chercherait en vain, dans ces concordats par douzaines, un article traitant de l'amélioration du sort des pauvres diables. Oui, je comprends, vous ne pouvez vous mêler de ces affaires intérieures, le règlement n'en revient qu'à l'Etat, il ne vous appartient que de maintenir les principes. Je ne l'ignore pas. Je pense seulement aux déceptions répétées des misérables. Je ne me crois pas quitte de la déception des misérables, j'ai la déception des misérables sur le cœur, il n'y a pas de quoi rigoler.

On vous voit aujourd'hui condamner le Racisme. Je le condamne humblement avec vous. Ceci fait, j'observe avec tout le monde que les persécutions contre les Juifs vous ont infiniment plus émus que le triste exode des femmes et des enfants basques. N'importe ! Ce n'est pas au nom du racisme, c'est au vôtre, au nom de la catholicité, que le général épiscopal fait de son propre pays un cimetière. Mais comment, ah oui ! comment. Ah ! pourquoi n'a-t-on pas condamné solennellement le racisme au temps de la traite des Nègres? Je ne nie pas que le Souverain Pontife défunt ait manifesté du courage en prenant la défense des Juifs allemands, mais les Juifs allemands étaient hier encore des hommes puissants, et peuvent le redevenir demain. Quant aux Juifs des Etats-Unis, nous savons qu'ils tiennent, par leur Presse, l'opinion américaine, l'opinion géante, au nom de laquelle M. Roosevelt prodigue ses encycliques. Lorsque la noble Maison de Bragance sacrifiait un trône impérial à la liberté des Noirs, ne montrait-elle pas plus d'héroïsme ?

Je dis cela parce que cela doit être dit. Des

milliers de prêtres et de moines pensent comme moi, mais ils ont parfaitement raison de se taire, comme moi j'ai raison de parler. Je parle pour qu'ils puissent se taire sans remords. Je parle au nom de millions de pauvres diables qui ne savent pas ce que je sais, parlent à tort et à travers de la politique d'Eglise, la jugent, sur les apparences, aussi réaliste que celle d'aucun autre Etat laïque de ce nom, ne sauraient comprendre sans nous qu'elle est une politique réaliste au service d'intérêts spirituels, eux-mêmes étroitement liés à des intérêts temporels, évidents aux yeux de tous, tandis que les premiers ne sont connus que de nous. Ce malentendu n'est pas d'hier, nous le savons. Mais dans le moment où les peuples et les Etats passent de main en main, si vite que les géographes y perdent la tête, lorsque tourne au même rythme affolé la roue de l'opportunisme d'Eglise — Ethiopie, Espagne, Autriche, Prague, Tirana — c'est hélas! dans ce moment que les moyens d'information atteignent à travers le monde une sorte de perfection magique. L'événement à peine refroidi, sorti tout brûlant de la forge, siffle déjà dans l'espace, vient frapper chacun à la tête, au cœur, au ventre. Serais-je donc un illuminé, un rêveur, pour affirmer qu'en de telles conjonctures la politique de temporisation voit échapper le facteur indispensable qui lui donne jusqu'à son nom : le Temps? On peut bien faire attendre un plaignant dans l'antichambre, même si ce plaignant est un peuple, mais dix mais vingt, mais cent ? Il n'y a plus aujourd'hui de politique qui vaille si elle ne ménage la sensibilité d'un monde qui voit tout ce qu'il ne devrait pas voir, ignore tout ce qu'il devrait savoir, ce qu'il souhaite obscurément de savoir. A ce degré de misère, les misérables ne peuvent pas plus se passer d'affirmations que de pain. Ils réagissent d'emblée. Faut-il laisser le présent, sinon l'avenir, aux menteurs qui proportionnent exactement leur langage à la force et à la brutalité de ces réactions? Faut-il que dérivent peu à peu vers la révolte ou la résignation désespérée des indignations légitimes ?

Et certes, je ne me mêlerai pas de reprocher aux chefs responsables de l'Eglise leur sang-froid ni leur prudence. Je me demande — oui, je me demande, j'ai le droit de me demander — si ce sont là les règles uniques à quoi nous devons nous conformer, nous autres, nous pauvres chrétiens, qui n'engageons que nous, nos personnes, nos biens, notre pain. Je vois avec une curiosité mêlée de terreur, grossir sans cesse le nombre de ces hommes d'œuvres qui, non moins habiles ou vifs que d'autres à défendre leur temporel, prétendent vivre dans le siècle comme s'ils n'y vivaient pas, font paisiblement leur salut tout seuls, pour eux seuls, et répètent avec une espèce d'exaltation : « Je ne comprends pas, j'obéis sans comprendre, je ne comprends plus rien, quel bonheur ! » croyant atteindre ainsi les sommets de la vie contemplative, sans pour autant manquer à surveiller leur compte en banque.

Et sans doute, ces brebis-là ne sont pas difficiles à paître ! Faute de mieux, ils se font représenter dans la Chrétienté par leur argent, ainsi que des actionnaires. C'est leur argent qui travaille pour la Chrétienté, ils peuvent aller tranquillement remplir leur devoir d'état, faire le commerce, traire le client. J'ai sous les yeux une petite revue missionnaire, d'ailleurs digne de respect, qui inscrit naïvement cette déclaration sur sa couverture : « sans courir aucun danger, sans souffrir ni la faim, ni la soif, ni la fièvre, sans sortir de chez vous, grâce à vos aumônes, vous serez « Missionnaire », et vous aurez la récompense du « Missionnaire »[1]. Les braves gens qui ont écrit ces lignes, travaillent pour le bon Dieu dans la contrée la moins salubre du Brésil. Ils sont donc au-dessus de tout reproche. Je dis que les malheureux auxquels ils s'adressent sont dignes d'entendre ce langage, de répondre à cet appel. Ils mettront la main au gousset, un peu étonnés d'abord que la vocation de missionnaire soit si facile, mais charmés tout de même et bientôt remplis de fierté. « Dame !

1. Bulletin mensuel des Tertiaires réguliers de Saint François d'Assise. — Albi

puisqu'*Ils* me le disent ! *Ils* le savent mieux que nous. »

Je voudrais me prosterner aux pieds du Souverain Pontife, je traverserais volontiers la place de saint Pierre sur le ventre pour dire au Père Commun des fidèles : « Je ne suis rien, moins que rien, je n'entends rien aux affaires, aux affaires diplomatiques moins qu'aux autres. Mais parler ainsi c'est proprement désespérer de la Chrétienté. C'est jeter hors de la chrétienté la fleur de notre peuple, la fleur de la jeunesse de notre peuple. Prenez-moi, si vous voulez, pour un imbécile ou pour un lâche, je tâcherai d'accepter l'humiliation de bon cœur. Si j'ai tort, ou si j'ai tort d'avoir raison avant l'heure, ne me ménagez pas, censurez-moi. Je ne vivrais pas cinq minutes hors de l'Eglise et si l'on m'en chassait, j'y rentrerais aussitôt, pieds nus, en chemise, la corde au cou, enfin aux conditions qu'il vous plairait de m'imposer, qu'importe ! Mais la Chrétienté française ne mérite pas qu'on lui tienne ce langage. Interrogez la Chrétienté française, elle vous répondra : Nous avons gardé la tradition de l'honneur chrétien. Il n'est pas selon nos forces et nos lumières de précéder l'Eglise au lieu de la suivre. Nous n'y songeons pas. Vous définirez, approuverez, condamnerez, lorsque le moment sera venu. Mais en attendant, à cette foule désemparée, sur quoi flotte tour à tour le grand vent de la panique ou de la colère, ah, laissez-nous parler le seul langage qu'elle puisse entendre, laissez parler la seule voix capable de couvrir celle des demi-dieux de la Force et de la Puissance, laissez-nous lui parler au nom de l'honneur. »

La France a faim de justice, mais elle a soif d'honneur, et chacun sait qu'on crève plus vite de la soif que de la faim. Sans la charité du Christ, un chrétien n'est pas chrétien, mais sans honneur, il n'est qu'un porc. Qu'est-ce qu'une obéissance qui ne rayonne pas de charité ? Je l'appelle un conformisme, justifiant tous les abandons. Le chrétien abyssin dont la femme et les fils ont été dépouillés de leur peau par l'ypérite, respectera l'assassin devenu son seigneur par la volonté de Dieu, mais ce devoir accompli, aucun commandement de Dieu ne lui interdit de faire du commerce avec l'assassin, de lui gagner des sous. Il en sera ainsi demain du Tchèque, de l'Albanais, du Slovaque, comme jadis de l'Irlandais, du Polonais, de tant d'autres dont vous avez négocié la résignation.

Vous êtes obéis, soit. Le seriez-vous autant si après avoir invité les hommes pieux — hombres dignos — à se rallier au vainqueur, vous teniez, par exemple, ce langage aux fonctionnaires civils et militaires ? « Mes chers enfants, j'exige de vous un grand sacrifice, mais je ne me reconnais pas le droit de disposer de votre dignité ! Il ne convient pas d'ailleurs qu'aux yeux des malveillants et pour l'inutile scandale des faibles, votre obéissance si généreuse puisse paraître intéressée. J'accepte donc au nom du bon Dieu le sacrifice de votre fidélité, je vous relève de vos serments, mais il m'est doux d'arrêter là mes exigences, de devancer paternellement les mouvements de votre cœur. Voilà donc la parole que vous attendiez. Je vous autorise volontiers à envoyer vos démissions au gouvernement, dès que vous aurez mis vos successeurs au courant, bien entendu, car il ne faut pas mettre malicieusement vos nouveaux Maîtres dans l'embarras. Il serait bon aussi que les pensionnés rendissent leurs titres de pension, les décorés leurs décorations. Les archevêques, évêques et chanoines, souffrant du même scrupule que les laïques, et qui désireraient redevenir de simples curés voudront bien me faire parvenir leur demande, je l'examinerai avec la plus grande bienveillance et j'y ferai droit chaque fois que les intérêts de l'Eglise et des âmes n'en souffriront pas. »

L'honneur est une vertu humaine, soit, mais elle permet de classer les hommes. Je ne demande pas qu'on l'élève à la dignité de vertu théologale, je voudrais simplement qu'on s'en servît. L'Eglise ne méprise pas les moyens humains, pourquoi repousserait-elle celui-là ? Quoi ? vous ne pouvez vous passer d'une certaine pompe profane, utile au prestige, vous entretenez à grands frais des palais, des musées, des militaires anachroniques, culottés par Michel-Ange, et vous mettriez dans le monde l'honneur en veilleuse? Vous laissez pratiquement sur le même plan l'obéissance surnaturelle et l'autre, ouvrant ainsi la brèche par où passeront tous les Pharisiens, tous les tenants de la Lettre contre l'Esprit. Nous savons très bien que l'Eglise ne doit pas courir de risques, est du moins seule juge des risques politiques qu'elle peut courir, nous ne prétendons nullement qu'elle coure les nôtres. Traitez, négociez tant qu'il vous plaîra. Mais laissez les chrétiens prendre le risque de la fidélité, de l'honneur, de tout ce que nos ancêtres exprimaient du mot de *Légitimité.* Car toutes les légitimités se tiennent et la vôtre n'est pas sans une part d'humain. Le monde est plein de saletés, regorge de saletés. Un homme ne peut honorablement vivre en ce monde s'il doit faire un choix parmi ces saletés, dénoncer les unes, ignorer les autres, approuver les troisièmes, et lorsque le cœur lui vient aux lèvres, solliciter humblement des politiques la permission de vomir, — des politiques qui précisément ne vomissent jamais, auxquels leur complexion naturelle interdit ce soulagement, comme aux chevaux.

J'ai vu en Espagne fonctionner Robert Macaire, mais il me serait interdit de le dire, de compromettre Robert Macaire parce que cela ferait trop plaisir aux Rouges. J'ignore si cela fait tant plaisir aux Rouges de devoir admettre qu'un chrétien dit la vérité, quelle qu'elle soit, je croirais plutôt le contraire. Mais ce que je sais bien c'est qu'un homme instruit des origines et des méthodes de la Croisade et qui, se taisant sur ces dernières, gagnerait son pain à flétrir celles du Komintern, mangerait un drôle de pain. « Quoi ! Vous vous dites catholique, et vous nous refusez ce malheureux petit mensonge par omission ? » Oui, Révérend Père Cordovani, mon cher Censeur, je le refuse. Et j'ajoute qu'en prétendant l'obtenir de moi, vous me faites l'effet, sauf le respect strictement indispensable que je vous dois, d'un singulier fils de saint Dominique. Nous nous expliquerons là-dessus devant lui, le moment venu, et je ne serai pas seul, j'aurai beaucoup de vos frères avec moi. Que voulez-vous ? J'ai appris, moi, le catéchisme sur les genoux d'une mère française et je le connais assez pour savoir qu'on ne vit pas, qu'on ne se sauve pas, qu'on ne fait pas son salut par omission.

V

Une fois de plus parvenu au terme d'un livre ainsi qu'au terme d'une vie, mon cœur se tourne vers ceux que j'aime et je reconnais que la colère et l'indignation sont vaines, que ce qu'on ne peut aimer n'est rien. On peut tout aimer puisque Dieu n'a pas voulu tromper la faim et la soif de sa pauvre créature douloureuse. Ce qu'elle ne saurait aimer n'est rien. Les mensonges sur lesquels nous nous jetons comme sur un mur ne nous opposent rien de palpable, ne sont que des murs de nuit. Ils sont la part de néant, la part des ténèbres que l'amour n'a pu encore restituer à la lumière et lorsqu'on se retourne vers sa propre enfance, qu'on l'appelle de loin, si las non de vivre mais d'avoir vécu, elle nous répond de sa voix douce: « Il n'y a qu'une erreur et qu'un malheur au monde, c'est de ne pas savoir assez aimer. »

Malheur à qui nous décourage d'aimer ! Malheur à qui forçant notre respect, veut aussi forcer notre amour. Malheur à qui l'exige de nous, comme l'intendant de l'Evangile sa dette, et satisfait de ses vertus, de ses mérites, des dignités dont il est revêtu, prétend nous faire partager sa propre satisfaction ! Malheur à qui demande aux autres plus d'amour qu'il ne se sent capable d'en donner lui-même ! Malheur à qui prend plus que son dû d'un trésor aujourd'hui si rare! Il ne reste plus beaucoup d'amour à donner : qu'on n'en piétine pas la source ! Il n'y a plus beaucoup de ce sang dans nos veines, qu'on mesure prudemment les saignées, que les gloutons n'achèvent pas de nous vider. Nous ne leur en voulons pas d'être insatiables. Ils ont soif, mais nous avons soif aussi. Quand nous mourrons, ils ne nous survivront pas longtemps. Nous nous dessécherons côte à côte, nous blanchirons ensemble sur la terre devenue aride.

Il est vain de vouloir maintenir ou restaurer des prestiges que l'amour ne vivifie plus. Trop de prestiges pour si peu d'amour! Je dis l'amour, l'amour des hommes, la pauvre et innocente chaleur humaine, non pas la divination de la Sainte Charité. Les Apôtres eux-mêmes ont d'abord donné à Dieu cette tendresse, avant qu'ils n'eussent reçu l'Esprit, c'est vers cet humble feu plein de cendres, à ce mince foyer que le Christ a tendu, pour les réchauffer, ses mains humaines. Hé bien, les peuples n'ont plus rien à aimer.

Les peuples sont des enfants. Chacun des individus qui les composent peut être, à part lui, ce guignol vaniteux, sournois et cupide qu'on appelle l'homme fait, mais les peuples sont des enfants. Vous avez mis les peuples au collège. Ce mot écrit, je n'ai qu'à fermer les yeux, et après tant d'années de misère, ma mémoire se referme aussitôt sur une misère plus stricte et plus dure, une misère d'enfant, le dénuement même.

Vous avez mis les peuples au collège pour leur bien, évidemment, car on nous met toujours au collège pour notre bien. Vous les y accablez, vous les y écrasez de votre expérience, de votre sagesse, de vos disciplines, de vos hygiènes et même de votre justice, pondérée, bienveillante, implacable. Oh ! oui, de votre justice, de votre justice d'hommes mûrs, et sur le tableau noir, en lettres moulées, vous écrivez la liste interminable des Supériorités sociales, politiques, religieuses et militaires, la liste des Respects, des Révérences et des Vénérations.

Vous avez mis les peuples au collège et vos programmes n'oublient rien, pas même les distractions indispensables, les heures de gymnastique nécessaires à la liberté de l'esprit et à celle du ventre.

Vous avez mis les peuples au collège. Rien n'y manque : le professeur figure sous le nom de chef de bureau, de patron, de contremaître, les pions vont et viennent dans la cour sous l'uniforme de la maréchaussée. La science contrôle les santés, protège des épidémies, l'aumônier, avec la permission du supérieur, se tient à la disposition des élèves chaque samedi, officie chaque dimanche. Qu'est-ce qui ne va pas? Pourquoi trouve-t-on de mauvais livres dans tous les pupitres ? Pourquoi ces groupes silencieux qui se dispersent dès qu'on s'approche ? Qu'est-ce qui manque à ces ingrats ?

Il leur manque la famille, mon bon Monsieur. La famille ne valait peut-être pas grand'chose, mais elle était faite pour eux, à leur mesure. Le désordre de la famille était un désordre humain, mille fois plus précieux que votre ordre inhumain. La Monarchie avait fait de notre peuple une famille. On s'y disputait, on s'y battait, on s'y réconciliait, on s'y aimait presqu'à son insu, comme dans n'importe quelle famille humaine. Hommes d'ordre — oh ! que ce mot m'écœure — hommes d'ordre, homme dignes, prétentieux, sots, vous avez laissé détruire le foyer de la Patrie, la vieille maison, cent fois mise à mal, cent fois restaurée vaille que vaille, tantôt par l'architecte, tantôt par le maçon, et fiers de vos connaissances juridiques, économiques, moralistes, hygiéniques et théologiques, vous l'avez reconstruite sur des plans nouveaux, rationnels. Hé bien, on s'embête ferme dans vos collèges ! On prend des vacances de temps en temps ! Les révolutions sont nos vacances.

Certes je ne me propose pas ainsi de convaincre hommes de gauche ni hommes de droite, je ne me propose de convaincre personne, ce qui doit venir viendra. « Que lui en coûte-t-il à celui-là de nous promettre le Paradis ? » disent-ils. Je ne promets pas le Paradis en ce monde. Pour oser le promettre dans l'autre sans outrager l'homme, ou comme nous disions jadis, sans bluffer l'homme, il faudrait être infiniment meilleur que je ne suis, il faudrait être moins indigne d'une telle promesse. Pour promettre le ciel aux misérables, aux vaincus, aux vaincus déshonorés de la misère, à ceux qui n'ont même pas réussi dans la misère, il faut être un véritable ami de Dieu, ou jouir d'un toupet colossal, un véritable ami de Dieu ou un goujat. Je me permets même d'attirer en passant, sur ce point, l'attention des hommes pieux, des hommes dignes quelle que soit leur dignité — qui ont l'air de croire que la promesse divine appartient à qui veut la prendre et en essayer l'effet sur autrui, pour voir, s'échange à la bonne franquette comme un parapluie, qui se passent entre eux des recettes infaillibles, des remèdes spirituels pour les Méchants et les Obstinés, qu'ils expérimentent au petit bonheur. Et quand les pilules ne font pas l'effet qu'ils attendent, qu'annonçait le sacristain pharmacope, lorsque le malade vient de crever, ils disent que le diable est terriblement efficace, sans penser une seconde qu'ils sont terriblement plus bêtes et médiocres que le diable n'est puissant — d'ailleurs assurés que le moribond, de toutes manières, a eu tort de crever, puisque leurs intentions étaient bonnes, qu'ils profitaient d'une occasion de gagner des mérites, de grossir leur petit magot.

Je n'ai nullement la prétention de convertir qui que ce soit. Les marxistes ont bien le droit, après tout, de m'opposer une cité future qui du moins existe sur le papier. Exister sur le papier n'est pas rien. Le cuirassé de trente-cinq mille tonnes tient déjà tout entier dans les tiroirs du Génie Maritime, avant que soit rivé le premier boulon. Le Génie Maritime croit aux cuirassés des épures, mais il n'importe pas que la mer croie ou non au cuirassé des épures, on ne lui demande rien de pareil, on attend qu'elle juge, en dernier ressort, non les épures, mais le Cuirassé... La Mer... les Hommes.

L'illusion des misérables est de croire dur

comme fer que l'injustice est dans les lois, alors qu'elle est en nous. Si elle n'était en nous, elle ne serait pas dans les lois. Et les lois sont faites par les puissants. On n'a jamais vu de lois faites par les faibles où ils étaient le nombre, et la multitude elle-même ne fait pas les lois, elle délègue son pouvoir à quelques-uns dont elle fait du même coup des forts. Dès que la révolution cesse de détruire, elle reconnaît un état de fait. Qu'est-ce qu'un état de fait, sinon l'ensemble des résultats acquis ? Les résultats acquis font les puissants.

Quelle singulière idée vous vous formez de la Loi ! Vous semblez penser qu'elle porte en elle la force de convaincre, alors qu'elle ne réalise que par la contrainte, qu'elle est inséparable de sa sanction, aussi étroitement liée à la sanction que le temps à l'espace. La loi sans sanction n'est plus une loi, c'est un précepte moral, aussitôt bafoué par les cyniques, trahi par les hypocrites et les pharisiens, trahi par un baiser. Pas de loi sans la sanction, pas de sanction sans contrainte, pas de contrainte sans maître. La vie sociale est une sorte de fermentation, elle extrait le puissant de la masse, comme le foie produit le suc, elle élimine peu à peu les faibles qui l'encombrent, à la manière du rein les résidus de la digestion.

L'injustice est dans l'homme. Je l'affirme, et vous êtes parfaitement libres de ne pas me croire, bien que vous puissiez déjà connaître l'usage qu'il a fait de la Science, de la Science expérimentale, si jeune encore, déjà souillée du sang de millions d'hommes. L'injustice est dans l'homme. La société capitaliste vous présente une forme, d'ailleurs hideuse, de cette vérole. Votre tort est de croire qu'il n'y en a pas d'autre « Mais notre société sera rationnelle, elle sera selon la raison ». Si vous voulez qu'elle le reste, gardez-la bien dans vos tiroirs. Elle ne l'est déjà plus, parce qu'elle a servi. Elle a servi aux hommes, elle porte dans ses flancs le principe de la pourriture, si on ne sait pas encore exactement la place et la forme du chancre. L'homme peut guérir de tout, non de l'homme.

Si théoriquement parfaite que soit l'organisation économique de votre société future, elle ne fera jamais que répartir les richesses et les profits. Mais richesses et profits n'ont de sens que pour l'économiste. La vie ne connaît que les Riches et les Profiteurs. Et dès qu'ils existent, vous ne les empêcherez pas de prendre conscience de la solidarité qui les lie. Tôt ou tard, le jeu de leurs intérêts solidaires usera vos lois. Il les usera du dedans, ainsi que le grain de silex introduit à l'intérieur du cylindre, et qui l'use d'autant plus vite que le moteur tourne à plein rendement. Et il n'usera pas seulement la matière de votre législation, il en faussera l'esprit.

Car il n'y a pas que la Force. Il y a une morale de la Force, une éthique, une esthétique et même une mystique de la Force. Le plus puissant recours que le Fort ait contre le Faible n'est pas de contraindre, c'est de faire douter de son droit.

Le droit du Fort est réel. C'est une matière solide et dense. Je dis qu'il serait fou de croire qu'il n'y ait place, dans une société précisément matérialiste, pour cette matière solide et dense. Le droit du Faible est esprit. Sans l'esprit, les faibles ne sont que déchets, utilisables seulement pour la part de force dégradée qui reste en eux, si dégradée qu'elle ne saurait paraître que s'ils s'assemblent en grand nombre. Le trésor du misérable est spirituel, et la raison, sans doute, de la béatification par le Christ de la condition sociale du Pauvre, c'est que tout ce que perd l'Esprit est aussi perdu pour le Pauvre. Le Pauvre suit le destin de l'Esprit.

Je suis chrétien pour la même raison que M. Hitler ne l'est pas, ne peut l'être. Je suis chrétien parce que le bon sens et l'histoire m'affirment qu'il y aura toujours des vaincus, et que le Christianisme est le parti des vaincus. Je n'aime pas les vaincus par une sorte de prédilection morbide pour ce qui gémit ou rampe. Je ne veux pas que les vaincus gémissent et rampent. Aimer ce qui gémit et rampe, n'est nullement selon ma nature. Qu'on tourne et retourne comme on voudra l'histoire du monde, il y est clair que les misérables n'ont jamais été aimés pour eux-mêmes. Les meilleurs ne les souffrent ou ne les tolèrent que par pitié. Par la pitié, ils les excluent de l'amour, car la réciprocité est la loi de l'amour, il n'est pas de réciprocité possible à la pitié. La pitié est un amour déchu, avili, un mince filet de l'eau divine qui se perd dans les sables.

En parlant ainsi, je n'attends pas des misérables qu'ils me croient et me suivent. Je sais ce que je pense des imposteurs qui forts de leur titre de chrétien, qui est parfois un titre tout neuf, dont l'encre n'a même pas eu le temps de sécher, s'approchent des misérables comme s'ils étaient le Sauveur lui-même. Faites d'abord un miracle ou deux, imbéciles ! Malheur aux mauvais prêtres, aux prêtres gras, gras jusqu'à la fressure de l'âme, qui venant à ce troupeau farouche, toujours déçu, ont l'air de chercher un morceau de sucre dans leur poche ! Un chrétien qui parle aux pauvres sans rougir, fait preuve d'un fameux aplomb. Dieu me garde de donner, une fois de plus, aux vaincus de ce monde, une promesse jamais tenue ! Je voudrais seulement leur dire que, à travers tant de siècles, la parole du Christ est le seul bien qui leur reste. Après quoi, je leur permets de me rire au nez, je ne me fâcherai pas.

« Qu'est-ce que vous voulez que nous fassions d'une parole ? Est-ce que ça se mange ? » N'importe ! Que cette parole soit étouffée, vous n'êtes plus rien.

Car ce qui vous protège des Forts, des Vainqueurs restera peu de chose à vos yeux aussi longtemps qu'il ne vous sera pas retiré, que vous n'en sentirez pas l'absence. Il y a un mystère autour de vous, une présence ineffable, un esprit. Vous êtes sacré, comme l'enfant, ne vous fichez pas de ce que je dis. La parole du Christ vous enveloppe à votre insu, parce que vous êtes dedans, vous vivez dedans avec votre misère, misérables, et qui se soucie de l'air qu'il respire avant qu'il ne manque à ses poumons? Et certes, non plus que l'enfant, vous n'êtes à l'abri des entreprises du goujat. Mais le goujat lui-même ne peut porter la main sur vous sans lire jusque dans les regards complices, sinon la réprobation, du moins la honte. L'Esprit ne se mange pas, soit. Il vous empêche seulement d'être mangés. On ne vous mange pas, par pudeur. Grâce à l'esprit, grâce à ce rien, votre viande est encore intouchable comme celle du cochon, sauf votre respect, le reste pour les Juifs ou les Musulmans.

Tous les peuples ont mangé les vaincus, et lorsqu'ils ne les ont plus mangé, ma foi, c'est qu'ils avaient découvert que l'esclave rapporte plus, que par le travail de toute une vie l'esclave rendait à ses maîtres vingt fois la valeur de son poids de viande. Prenez garde que le mot de vaincu reprenne son sens, son sens naturel, historique, d'homme qui appartient au vainqueur. Et les petites tantes surréalistes d'extrême gauche, si pareilles, en somme, à leurs petites sœurs d'extrême droite, pensent là-dessus comme moi. Mais ils se gardent bien de le dire. Ce n'est pas votre malheur qu'ils honorent, c'est votre force. Ils vous appellent la Masse, les Masses. Ils calculent entre eux les cubes et les tonnes, et déjà rampent aux pieds des vainqueurs de demain — victoire précaire, victoire d'un jour. Car, je vais vous dire, vieux frères, on a encore besoin de vous pour construire des mécaniques. L'organisation rationnelle du monde se fait évidemment sans vous, mais elle ne peut pas encore se faire contre vous. La machine trop délicate est à la merci d'une explosion. Vous pouvez, d'une poussée trop brusque, faire sauter la chaudière. N'importe ! vous êtes dedans. Un peu de temps encore, et vous pourrez pousser tant que vous voudrez, l'acier tiendra le coup, la machine n'en tournera que plus vite. Lorsque la machine universelle aura atteint son point de perfection, qu'elle tournera toute seule, sous le contrôle de quelques milliers de spécialistes, lorsque les demi-dieux de la Terre tiendront l'économie du monde, comme ils tiennent déjà des milliers d'hommes sous le feu de quelques mitrailleuses, vous penserez au vieil honneur chrétien, dont vous faites si peu de cas, vous aurez vendu pour rien l'honneur du pauvre. « Mais nous serons alors tous instruits, le temps d'apprendre ne nous manquera pas, nous aurons réalisé l'égalité par la culture. » Douce chimère de croire à la fraternité d'intellectuels oisifs ! La vanité de la richesse est moins vorace que l'orgueil du savoir. Et il y aura encore celui des bien-portants, des athlètes, des costauds sélectionnés. Vous mangerez de l'imbécile ou du malade, comme jadis vous mangiez du pauvre.

Ces vérités vous semblent négligeables, mesquines. Hé bien, je vais vous dire, c'est parce qu'elles vous ressemblent. C'est aussi parce que ces vérités vous ressemblent que les petites tantes, réalistes ou surréalistes, ne les aiment pas non plus.

Je ne vous les propose point, je sais l'usage qu'en font contre vous les imposteurs et les simoniaques. Je regarde ces gens-là dans les yeux. Je les regarde au nom de tous ceux dont ils ont fait baisser le regard, car après avoir vendu aux riches la tunique du pauvre, ils lui dérobent ce qui lui reste, la dignité mystérieuse dont le Christ l'avait revêtu, revêtu de sa propre main, et ils s'en parent, ils volent la dignité du pauvre, ils volent le pauvre tout nu. Qui oblige le pauvre à se soumettre, et s'avoue impuissant à lui assurer, dans la soumission, la dignité et l'honneur, je l'appelle un charlatan sans entrailles. Il est inouï de voir en pleine chrétienté opposer l'exploitation des riches à la révolte des misérables, comme si la révolte des misérables, d'ailleurs écrasée sous les mitrailleuses, rendait l'innocence aux exploiteurs. En sorte qu'après les avoir nourri, vivant, de sa substance, le misérable expie pour eux par sa mort, leur rend l'honneur. Des phrases ! dites vous. Oh ! pardon. Nous savons tous, par exemple, que des féodaux imbéciles, vivant besogneux dans l'extrême opulence, laissaient depuis des siècles, sur leurs terres en friche, dépérir des générations d'Espagnols, tombés physiquement au-dessous de certaines tribus primitives. Qui les nomme aujourd'hui ? Qui les condamne ? J'entends bien que leur condamnation est implicite. Mais les mitrailleuses du général épiscopal n'étaient pas, elles, implicites. Allons ! Allons ! Lorsque les Riches se proclament matérialistes, on condamne le Matérialisme. Et si ce sont les pauvres diables qui deviennent matérialistes, le philosophe ferme son gros livre, et c'est le matérialiste qu'on châtie.

Vous avez mis les peuples au collège, vous vous êtes mis vous-même au collège. Votre politique est celle de M. l'Econome, votre morale celle du Censeur. C'est M. l'Econome qui achète au rabais les fayots, mais c'est M. le Censeur qui les fait manger au nom de la vertu. Le type social que vous proposez en exemple est précisément un personnage de collège, une fiction purement scolaire — le bon élève docile, studieux, appliqué — une soustraction d'impuissances rigoureusement juxtaposée à la somme des prohibitions, un fantôme servant de prétexte et de support à des succès de fantômes, un front de papier destiné aux couronnes de papier, un jouet sérieux pour grandes personnes, le bon élève, le bon citoyen, une création du génie des célibataires.

Vous avez mis les peuples au collège, vous avez substitué un collège à l'Ancienne Chrétienté. Vous n'auriez pas mis la Chrétienté médiévale au collège : Pour que la Chrétienté fût mise au collège, il a fallu qu'apparaissent les singes de la Renaissance et parmi eux le plus singe des singes, le plus effronté des singes, le prêtre humaniste, ou plutôt l'humaniste prêtre, tout grouillant de vers latins comme un cadavre d'asticots, la marionnette qui préfère Ovide à son bréviaire et qui du bout de sa plume d'oie taquine, avec un sourire niais, l'énorme Sphynx de la Luxure Antique, bibelot frivole, inventeur d'églises qui lui ressemblent, d'églises bibelots, non moins maniérées que lui-même, suant tristement, sous leurs dorures, l'avarice et l'ennui. Les maniaques sans race et sans patrie qui firent honte à nos pères de leurs cathédrales barbares, renièrent jusqu'à leur langage jugé indigne de l'éloquence, et dont ils laissaient l'usage au bon peuple, aux petites gens, lorsque la Vierge celte ou germaine s'effaçait devant la Vestale, que l'héroïsme s'appelait Leonidas, le courage civique Caton, la liberté Brutus, la victoire César, la gloire Auguste, la chasteté Lucrèce. Vous avez mis les peuples au collège. De l'élite française formée par vos soins, vous avez fait une élite de pions, de chacun de vos hommes dignes, un pion en puissance. Je veux dire un homme parfaitement capable de raisonner juste touchant ses intérêts particuliers, mais dès qu'il s'élève aux généraux, dressé à redevenir un pion, à sentir, à juger en pion, auquel les mots d'ordre, de justice, de récompense ou de châtiment évoquent aussitôt l'ordre, la justice, les récompenses ou les châtiments des pions. Qui croit que l'homme de désordre a été créé par Dieu pour servir de repoussoir, rehausser la vertu de l'homme d'ordre. Qui prend l'attitude respectueuse pour le respect, la dignité pour l'honneur, la docilité pour l'amour, et les révolutions pour des chahuts...

Vous avez mis les peuples au collège. Seulement, les collèges se vident, comme aux vacances, et il ne restera plus demain, si la Providence n'y veille, que le corps professoral au complet, avec un petit nombre de ces malheureux disgraciés qui ne vont jamais en vacances, faute de famille ou de pécune, errent mélancoliquement à travers les cours désertes. Lorsque l'héritage de l'Ancienne Chrétienté vous a paru trop lourd, vous avez laissé renaître César, parce qu'il est toujours facile et profitable de faire rendre à César ce qui lui est dû. Le droit chrétien n'a pas délivré les peuples de César, il ne leur rapporte, dans l'Etat païen reconstitué, qu'une contrainte de plus. La désobéissance à César, au pouvoir établi de César, eût jadis valu les verges ou la croix, on y risque aujourd'hui l'enfer éternel.

Vous avez mis les peuples au collège. Mais si vos programmes n'ont pas changé, vous n'y disposez plus des sanctions. De l'innocent cachot disciplinaire, César a déjà les clefs. L'innocent cachot disciplinaire s'ouvre, comme à Majorque, sur la cour des exécutions capitales. Les professeurs reprennent, blâment, admonestent, morigènent, seulement la mitrailleuse attend. Cela s'est déjà vu dans l'histoire, cela se reverra encore. Car vos difficultés avec les maîtres finiront tôt ou tard par s'arranger. Il faut être un peu fou comme M. Hitler pour prétendre vous offrir la bataille sur votre propre terrain, vous en remontrer comme professeur, alors qu'il était si simple de ne rien professer du tout. Les Rois d'Espagne ont massacré des milliers de sauvages, condamné le reste à l'effroyable, à l'hallucinant martyre des mines, mais ils ne se sont pas crus obligés pour autant de définir le Racisme. Au dix-septième siècle, il n'était pas de famille honorable dans l'Ouest ou dans le Nord-Ouest de la France, qui n'eût dans ses coffres quelques parts d'un navire de traite, mais ils ne demandaient au curé que de bénir le précieux bâtiment, d'attirer sur lui les faveurs du Très-Haut, rien de plus. Tous ces pieux personnages mangeaient ensemble le prix du nègre, soit, mais ils ne mangeaient pas le nègre. Le jour du mariage de leur fille, ils ne servaient pas un gigot de nègre à Monseigneur, qui pouvait ainsi bénir la table de famille sans aucune arrière-pensée.

Inspiré par le général Franco, M. Hitler eût dû tenir ce langage aux gens d'Eglise : « J'aime les sémites. Je suis spirituellement un sémite. Malheureusement beaucoup de Juifs se sont rendus indignes de porter ce nom fameux qui, par toute la terre, a le sens de Magnanime. Je ferai juger par mes tribunaux sommaires les Israélites dangereux pour la foi et les mœurs de nos précieux membres de l'Action Catholique, c'est-à-dire les Juifs inféodés à Moscou. » L'Episcopat allemand eût certainement approuvé ces intentions irréprochables, quitte à déplorer certains excès de zèle, à recommander aux chers juges et aux chers bourreaux, dans l'exercice de leurs délicates fonctions, la pratique de l'oraison jaculatoire et du bouquet spirituel. « Pas de controverse avec les professeurs ! » tel sera tôt ou tard le mot d'ordre des dictatures. Rien ne leur est plus facile que de s'accorder sur les principes, puisqu'ils tiennent les principes pour rien. Envahir l'Albanie, bombarder le Vendredi Saint des populations désarmées, c'est là un fait politique qu'étudient les chancelleries. Mais les aviateurs fascistes ont-ils, ce jour-là, mangé du boudin ? Ce scandale ne saurait être toléré.

Je sais bien que ces vérités sont dures, mais je les dis parce qu'elles sont les vôtres et les miennes. Je les dis aussi durement que je puis, afin que le scandale des conformistes égale et compense celui que les conformistes donnent aux hommes de bonne volonté. J'en sais assez long, j'ai assez vécu pour savoir que la sécurité des conformistes se paie des déceptions et du désespoir des hommes de bonne volonté. Je ne vous laisserai pas disposer tranquillement de la Paix promise, le soir de Noël, aux hommes de bonne volonté, en faveur de vos troupeaux exsangues. Je dis durement des vérités dures, mais si nul d'entre vous ne m'entend, si vous en êtes à ce point de prendre pour un cri de colère le gémissement de la douleur, qu'aurais-je à craindre, n'ayant plus rien à espérer en ce monde ? Dieu m'est témoin que je crois ce que vous m'avez vous-même enseigné. Il me semble que je m'efforce de vous aimer. Que puis-je de plus ?

« Notre cœur est déchiré », vous entend-on

répéter sans cesse. Hé bien, quelque répugnance que j'éprouve à parler à mon tour de ce viscère, les nôtres le sont aussi. Cela n'a pas grande importance sans doute. Mais il y a peut-être quelque part, à l'heure où j'écris ces lignes, un cœur, hélas ! mystérieusement prédestiné, dont la blessure, irritée sans cesse, tourne au cancer. Le cancer une fois formé, rien n'en arrêtera plus les ravages. La docilité peut bien tenir lieu un temps de l'enthousiasme et de l'amour, à la longue elle finit par affaiblir. Qui ne sait plus qu'obéir aveuglément à ses maîtres, risque de tomber sous la domination des mauvais maîtres. Qui se félicite de ne plus comprendre, s'expose à comprendre un jour de travers. Les hommes passent plus souvent qu'on ne croit de l'apathie à la révolte et la Chrétienté n'a sans doute plus assez de force pour résorber un nouveau Luther.

Il faut qu'un jeune Prince français sache cela. Dans un monde dominé par le réalisme, il y aurait peut-être place encore pour une sorte de dictature héréditaire, à tendances modérées, conciliatrices, mais elle serait aussi vite absorbée par les régimes totalitaires que l'industrie familiale par les trusts. Si la Monarchie lie sont sort à celui du Réalisme, si elle en adopte les méthodes, elle sera brisée avant d'avoir servi. On ne joue pas au bridge avec des gens qui jouent au poker. L'opportunisme discrètement cynique des gens d'Eglise ne saurait jamais développer à plein sa malfaisance. Déjouer leurs feintes n'est qu'un jeu pour leurs adversaires, terriblement plus prompts et plus efficaces. Mais la garde forcée, ils se heurtent à l'intransigeance doctrinale comme à un mur. Qu'importe si l'escrimeur se montre lent ou maladroit puisque sa chemise molle est doublée d'acier ? L'intransigeance doctrinale fait regagner chaque fois, en une seconde, à l'Eglise, tout ce que ses politiques lui avaient fait perdre. Il est seulement bizarre que les politiques ne s'en soient pas aperçu. La Monarchie, malheureusement, ne peut compter sur l'assistance de l'Esprit Saint. Comme vous et moi, la Monarchie paie ses fautes.

Vous me direz que les dictatures la battront sur les premiers cent mètres, mais qu'elle a plus de fond qu'eux, qu'elle reviendra lentement, qu'elle les remontera, qu'elles les battra sur la distance. Hélas ! il n'y a pas de distance. Vous raisonnez comme si les dictatures effondrées, la course devait reprendre comme avant. Hé bien, non ! le public envahira la piste, fichera par terre les baraques du Pari-Mutuel, il n'y aura plus de course du tout.

De telles comparaisons conviennent d'ailleurs mal aux dictatures. Les dictatures ne sont pas des bêtes vivantes. Je les comparerais plutôt à de monstrueux accumulateurs d'énergie révolutionnaire. Il faut que la tension augmente sans cesse et nous savons qu'un jour ou l'autre la batterie sautera. Vous n'en utiliserez pas les débris sans vous faire réduire en cendres. Les gens de droite sont si bêtes qu'ils ne se sont pas encore avisés que les dictatures mettaient à leur intention l'énergie révolutionnaire en bouteilles. Le jour va venir, le jour n'est pas loin, où les dictateurs pourront dire : « Ou nous, ou rien. —

Mais après vous ? — Que vous importe ? Obéissez-nous. »

La force et la faiblesse des dictateurs est d'avoir fait un pacte avec le désespoir des peuples. J'oserai dire, faute de mieux, dans le langage des dévots : Ce pacte est précisément celui de Satan. Les peuples ont fait de leur désespoir un dieu et ils l'adorent. Nous avons assez vécu pour voir le désespoir prendre chair — *et incarnatus est.* Nous le verrons peut-être mourir et ressusciter le troisième jour, car le diable est un habile singe de Dieu. Nous le verrons revenir pour juger le monde. J'ajoute que vous avez parfaitement, et une fois de plus, le droit de me rire au nez. Mais moi, que voulez-vous, je ris aussi au vôtre. A travers toute la terre, la paix des hommes se change en explosif, c'est le pain et le vin des hommes qui fera demain sauter vos tripes, lancera comme deux petites balles, à la vitesse du projectile perforant la nuque, les yeux de votre enfant sur le mur. Le pain et le vin des hommes ! Si j'étais le diable, je ne voudrais pas comprendre autrement le mystère de la Transsubstantiation.

Les peuples jouent leur avenir à pile ou face. Vous leur proposez, avec une gravité comique, des placements de père de famille. On a vu des pères de famille vendre leur part de Suez pour jouer à la Bourse. On voit rarement un père de famille devenu prodigue se débarrasser à perte de ses valeurs de spéculation pour acheter du Suez. Mais s'il perd ? Hé bien, après avoir joué son espoir, il jouera son désespoir, le désespoir doublera, décuplera, centuplera ses mises. Personne ne tirera sur le désespoir un chèque sans provision. Le désespoir est la charité de l'Enfer. Il sait tout, il peut tout, il veut tout.

Je ne propose pas ces vérités aux diplomates, aux économistes, aux généraux en retraite, aux actuaires, enfin aux élites. Je répète que je n'ai rien contre les élites. Je dis simplement que dans le désordre présent du monde, les élites ne sauraient plus se former comme autrefois, par le jeu naturel des institutions, des lois, des mœurs. Vos élites ne sont pas des élites. Dans un monde où prétend dominer la force, vos élites bourgeoises conservatrices sont un non-sens. Elles tenaient tout du principe d'autorité, elles n'oseront rien contre la force, elles mettront au service de la force ce qui leur restera de prestige. Dans un monde où prétend dominer la force, une élite militaire est infiniment plus concevable qu'une élite bourgeoise. Un chevalier chrétien du XIIe siècle paraîtrait infiniment moins démodé aujourd'hui qu'un intellectuel bourgeois.

Il faut qu'un jeune Prince français sache cela. Lorsque les politiques d'Eglise ménagent la

Force, traitent avec elle, lui sacrifient les vaincus, le dommage de leur trahison temporelle est encore mille fois compensé par l'énorme puissance de libération de la moindre page d'un Evangile qu'ils nous ont fidèlement transmis. L'Eglise a ses politiques mais elle a aussi ses saints et ses œuvres. La Monarchie française n'a plus de héros, et les grandes choses qu'elle a faites sont rentrées à mesure dans le patrimoine commun des Français. Il serait peu digne d'elle de rappeler les services rendus, car chacun de ces services est un nom de victoire, et les victoires sont à nous tous, s'inscrivent pêle-mêle sur le drapeau de mon pays.

La Monarchie française est trop noble pour plaider. Si la Monarchie avait besoin d'un avocat, elle élirait M. Maurras, comme la France de la victoire a choisi jadis M. Poincaré. M. Maurras plaide le dossier. Mais la Monarchie française n'a pas de dossier, elle a des Titres. On ne plaide pas de tels titres, on les montre, et on ne les montre qu'à des égaux. La Monarchie française n'a pas d'égaux. Il faut être un grand esprit de petite race, de basse latinité procédurière et chicanière, pour engager la tradition monarchique française dans une interminable, une fastidieuse procédure. Pour un bas-latin le mot de Droit se coiffe instantanément d'un pot de fleurs en drap noir ou rouge, bordé d'hermine. Toutes les bêtes de Droit du monde, réunies ensemble, ne réussiront pas ce que le temps n'a fait qu'à grand'peine, au prix de tant d'années, de tant de morts. La Monarchie française est légitime. A ce mot, les petites tantes du néo-réalisme font la culbute en riant comme des folles. Je ne sais ce que le mot « légitime » représente à leurs yeux. Mais puisque ce mot a eu un sens au cours des siècles, il doit donc encore signifier quelque chose. M. Gaxotte a le mot de mystique en horreur, je pense néanmoins qu'il parlerait ici de mystique, la mystique de légitimité. Pourquoi mystique ? Aux yeux de ces Machiavel de poche, qui ne cède pas à la tentation de faire le portefeuille du voisin est un mystique.

Nos pères ne croyaient pas à la Légitimité, ils croyaient leur vieille Monarchie légitime, voilà tout. Légitime, c'est-à-dire devenue légitime, élevée à la dignité de légitime par le temps, les services rendus, et leur propre fidélité à eux, Français. Ils savaient parfaitement que remonter à la nuit des temps, ne veut rien dire, qu'en remontant la nuit jusqu'au bout, on retrouve une autre aurore. Ils se disaient simplement : Nous avons une Monarchie légitime, non seulement parce qu'elle est un état de fait plusieurs fois séculaire, mais parce que nous la déclarons légitime, une fois pour toutes, qu'elle a la garantie de la parole d'honneur de chaque Français, qu'elle ne fait plus qu'un avec l'honneur français. Il me semble que cela sonne autrement, sonne autrement plus humain, que la maxime si chère aux Rallieurs : « Qui dispose de l'armée, de la police et des coffres de la Banque de France est le maître que Dieu nous donne, vous devez l'aimer comme tel, oui — l'AIMER... »

Je ne discute pas le principe, je ne discute jamais avec les théologiens. Je dis simplement que si l'Eglise doit compter avec la Force, c'est à nous de faire que le sentiment de la fidélité et de l'honneur soit si fort dans notre pays qu'il balance, et au delà, l'avantage du contrôle provisoire de l'armée, de la police et des coffres de la Banque de France. Alors les gens d'Eglise se rallieront naturellement, comme autrefois, à la fidélité, à l'honneur, car le plus réaliste des réalistes ne saurait refuser de tenir compte de ce que Bismarck appelait les impondérables. Si les juges de Jeanne d'Arc avaient calculé les chances de l'honneur et de la fidélité française, ils se seraient sans doute épargné un crime inutile. Au train où les coups de force se succèdent à présent dans le monde, et après eux les régimes de fait, il est nécessaire de poser nettement le problème, car on ne peut tout de même pas courir le risque de brûler Jeanne d'Arc tous les mois.

La Monarchie est légitime. Aussi longtemps qu'elle n'est pas politiquement faite, on peut discuter ses avantages, on ne saurait mettre en doute qu'elle seule possède des titres de légitimité. — « Qu'importe ? » — Ah ! pardon ! En un temps où la force est crainte et haïe, c'est quelque chose, ce n'est pas rien, de tirer son droit, non de la force, mais de la fidélité et de l'honneur.

Car au XVe siècle, enfin, Armagnacs et Bourguignons, pour justifier leurs préférences dynastiques, se jetaient des titres à la figure. Nul n'est en mesure d'opposer aujourd'hui quoi que ce soit aux titres légitimes de la Monarchie française. Tous les maîtres présents du monde s'accordent entre eux sur un point, c'est qu'ils sont les créatures de la Force, celle de l'Or ou celle du Fer. Il y a dans le monde une idée qui a jadis fait la preuve de sa puissance sur le cœur des hommes et la Monarchie française est seule à pouvoir parler en son nom. Qu'elle parle donc en son Nom !

M. Maurras lui demandera de parler au nom de l'intérêt national. N'importe qui peut parler au nom de l'intérêt national et M. Maurras lui-même. C'est là une sorte de langage auquel les peuples sont habitués. N'importe qui parlant au nom de l'intérêt national (dont un élève de l'école primaire sait parfaitement qu'il a été souvent méconnu par les plus grands politiques) le peuple ne retient du discours que la main sur le cœur et les tortillements de prunelle, qui le dégoûtent. On ne parle pas au nom de la Légitimité comme au nom de l'intérêt, quel qu'il soit. Par une pente invincible, qui parle en légitime est amené forcément à parler au monde de l'honneur, à parler le langage de l'honneur.

Que la Monarchie française soit utile ou même nécessaire, cela se prouve, et ne convainc personne. Il faut d'abord qu'elle soit aimée. La Monarchie française n'est pas un régime politique, c'est une institution qui a été vivante et il s'agit de savoir si ce grand arbre, en apparence desséché, doit refleurir. Et sans doute les juristes peuvent imprimer des textes de notre ancien Droit, et ils auront sur le papier une monarchie juridique. Le politique se livre à un travail analogue, et il y a sur le verso du même papier la monarchie politique. Ces brillants schémas sont à la Monarchie comme les éléments chimiques du corps humain, réunis dans un certain nombre de bocaux, sont à un homme. Une monarchie sans roi est inconcevable, mais un roi sans un peuple monarchique ne l'est pas moins. Pour gouverner, il va sans dire qu'un Roi de France doit disposer des moyens de gouvernement. Il pourra régner, il régnera dès demain au sens exact du mot, s'il parle à son peuple un langage oublié, s'il parle en Roi, en Roi de France, en Roi chrétien — s'il parle au nom de l'honneur français.

Les réalistes ont bien tort de négliger un fait pourtant universel : le mot Etat ne signifie presque plus rien d'acceptable pour la conscience française, c'est un mot non moins déshonoré que celui de politique. On ne saurait évidemment lui rendre l'honneur sans sacrifices et sans risques. Les peuples ne vivent pas d'abstractions, ils obéissent à la Grande Loi mystérieuse, respectée par Dieu même, ils incarnent la Vérité. Ils jugent donc l'Etat comme un homme. L'Etat moderne est un homme sans honneur. Si le peuple français lisait M. Maurras, il interpréterait à sa manière les grandes phrases de l'historien sur les redoutables servitudes de la Raison d'Etat. Il comprendrait très bien qu'on lui promet un Roi plus roublard et plus menteur, plus persévérant dans les roublardises et les menteries que les autres maîtres, un roi capable de rouler dictatures et démocraties à la belotte, au poker, et même au bonneteau. Ces arguments ne le touchent plus. A tant faire que de tricher, le peuple préfère tricher lui-même, plutôt que par personne interposée. Il choisit de voter pour son compte, de prendre ce qui passe à sa portée, s'assurant du même coup un bénéfice certain. On ne gouverne pas, on ne tient pas dans l'ordre un peuple que le seul mot d'Etat fait vomir.

La Monarchie chrétienne n'est plus. Elle peut

revivre demain. Elle peut revivre dès aujourd'hui. Il suffit de parler en Roi légitime, c'est-à-dire en Roi juste. Non par des Encycliques ou des Mandements, car on ne dirige pas une conscience de peuple formée depuis vingt siècles, il s'agit de se lier à elle, il faut que la conscience du Roi et de son Peuple ne fassent qu'une conscience. Je dis la Conscience, non pas l'Opinion. Quel risque courrez-vous? Si ce peuple n'a plus de conscience, inutile d'insister, laissez-le crever tranquille. S'il en a une encore, trouvez-la et jouez votre chance sur l'honneur de votre peuple. Notre peuple devient ingouvernable parce qu'il ne bouge plus, l'impulsion manque. Toutes les raisons des politiques ne font pas bouger le peuple d'un pouce. Ils prétendent savoir ce qu'ils feront dès que le peuple bougera. Seulement le peuple ne bouge pas. M. Maurras connaît tous les secrets de la rêne d'opposition. Malheureusement, il n'a pas de jambes. Il énumère depuis trente ans les divers moyens grâce auxquels une main savante peut répartir des épaules aux hanches, jusqu'au dernier centigramme, tout le poids d'un cheval qui s'engage. Malheureusement M. Maurras n'a pas de jambes et son cheval n'engage rien. Pas d'opposition sans impulsion, pas d'impulsion sans jambes, voilà ce que l'illustre académicien devrait faire graver en lettres d'or au fronton de sa maison de Martigues. Lorsqu'on a montré tant de mépris pour la Mystique du Droit ou de la Justice, il est triste d'avoir à recourir pour ébranler sa monture, à l'élégante chambrière de M. Tardieu ou à la trique de M. Doriot.

Vous parlerez en vain à la raison de notre peuple. Et si étrange que cela paraisse, vous lui parlerez en vain au nom de ses intérêts, car à l'exemple des enfants, il ne les distingue guère de ses désirs. Et certes vous pouvez lui parler encore au nom de ses instincts, des instincts communs à tous les hommes, mais dont il a moins appris à se méfier que vous, ayant rarement l'occasion de les satisfaire. Parler au nom de l'instinct n'est rien, il faudrait parler l'instinct, parler le langage de l'instinct, être le plus immense des poètes ou la plus grossière des brutes. N'importe qui peut écrire que M. Hitler a réveillé tous les mauvais instincts du cœur allemand. Pourtant lorsqu'on lit et relit son livre étrange, il apparaît clairement que la première impulsion a été donnée par l'idée de justice. M. Hitler a exploité contre le Monde l'injustice du traité de Versailles, qui était précisément le fait du monde, mettait l'Allemagne hors du droit, hors du monde, hors la loi, hors l'honneur. M. Maurras se vante d'avoir dénoncé le traité de Versailles. Il eût mieux fait d'en dénoncer l'injustice. Son opinion sur le traité de Versailles peut se résumer d'un mot : « Lorsqu'on prétend mettre un peuple au ban des nations, il est plus simple et plus prudent de le tuer. » Et c'est vrai qu'au jugement des réalistes l'injustice en politique n'est acceptable qu'en développant jusqu'au bout sa pleine efficacité, selon la logique particulière de l'injustice. Mais la logique particulière de l'injustice veut qu'elle engendre, à la fin, une injustice contraire. Les politiques répondront qu'il suffit de s'arrêter à temps. Ils oublient qu'ils ne sont plus seuls maîtres de l'injustice dès qu'ils ont passé à l'acte, puisqu'ils sont tenus d'y associer tout un peuple. Alors éclate une contradiction essentielle, parce qu'impossible à résoudre par qui doit manœuvrer à la fois l'événement et l'opinion. Aucun peuple n'est encore assez déchu de l'ancienne chrétienté pour accepter tel quel l'immoralisme politique.

Le réaliste ne croit pas à la morale en politique. Les peuples y croient, ou du moins exigent qu'on leur en parle le langage. M. Maurras lui-même n'eût pas osé, en 1918, parler en réaliste au peuple français vainqueur : « Lorsque ton ennemi est étendu face contre terre, sans connaissance, ne perds pas l'occasion de lui écraser la nuque à coups de bâton. » Tel est le précepte du réalisme. Pour le faire accepter au peuple français, il a fallu le persuader d'abord, non seulement de la culpabilité de l'Allemagne, de chaque Allemand, de chaque femme et de chaque enfant allemand, mais encore lui présenter la nation allemande tout entière ainsi qu'une bête enragée. Bref, M. Maurras a contribué ainsi plus qu'aucun autre à la formation de la mystique germanique. Bien avant le racisme de M. Goebbels, la mystique antiallemande avait sournoisement favorisé chez nous le concept d'une race allemande, d'une race damnée, taillable et corvéable à merci, indigne de pardon. L'isolement moral de l'Allemagne, entretenu par la mystique antiallemande a puissamment aidé au succès de la propagande hitlérienne. D'ailleurs M. Maurras aura beau s'en défendre et se citer lui-même, son lecteur moyen, s'il croit à la race maudite, croit aussi à la race élue, la race latine du chant mistralien. Cette guerre de mythes est bien curieuse. De M. Henri Massis ou de M. Hitler, il était facile de prévoir hélas ! qui ravirait à l'autre le sceptre prestigieux du Monde Occidental. Qu'importe ! M. Massis aurait fini par perdre ce sceptre comme il perd tous ses parapluies. Bref les réalistes prétendent exploiter les mythes, mais ce sont les mythes qui utilisent les réalistes. Vous ne trouvez pas que c'est drôle ?

Il faut qu'un jeune Prince français sache cela. Les mythes naissent sous les pas du réaliste et cet imbécile a tort de s'en étonner, car ils viennent de lui. Le réalisme ressemble à ce clown au dos duquel un compère vient d'accrocher un petit réservoir, et qui cherche gravement une introuvable fuite de canalisation. Les politiques n'ont pas de sens moral, mais les peuples en ont. A chaque nouvelle canaillerie des réalistes doit nécessairement correspondre un mythe qui n'est que la canaillerie elle-même, sous une forme assimilable à la conscience des peuples. Car M. Maurras qui admet aisément sinon le péché originel lui-même, du moins celles de ses conséquences qui intéressent la politique, proclame, contre Jean-Jacques, que l'homme ne naît pas bon. Mais il ne sait ou ne veut rien savoir du Règne de la grâce. La grâce est une inconnue, par quoi le calcul des réalistes est toujours faussé. Les réalistes raisonnent comme s'ils disposaient de tous les moyens d'agir sur les hommes, n'imputant leurs propres échecs qu'à des fautes de tactique. Mais la grâce frappe, dans leur dos, qui lui plaît, doublant ainsi ce qu'on appelle le hasard d'un autre Hasard immense qui défie toutes les mathématiques. Les réalistes classent les hommes en espèces, genres, et ordres, mais lorsqu'ils quittent un moment leurs fichiers, ils retrouvent leurs fiches éparpillées sur le sol, et ils ont tort de croire que c'est le vent. Ils classent les hommes en espèces, genres et ordres, mais il n'y a qu'une chose sûre, c'est qu'ils sont, eux réalistes, hors de l'ordre de la Charité. L'homme ne naît pas bon, c'est entendu, il naît pourtant capable de beaucoup plus de bien que l'optimisme de Jean-Jacques n'eût seulement osé le souhaiter. Il ne naît pas bon, mais il naît grand, et d'une espèce de grandeur que le réaliste lui-même porte en lui, à son insu, contradiction singulière, qui rend son jeu moins dégoûtant qu'absurde et frivole.

Si l'homme était réellement cet animal industrieux, partagé entre ses instincts naturels et des habitudes héréditaires acquises au cours des siècles de vie sociale, il y a longtemps que le monde serait au réaliste, que les méthodes réalistes feraient l'histoire. Or il n'en est rien. L'histoire garde ses secrets. L'histoire est une aventure, comme la vie humaine elle-même. Quelle est dans cette aventure la part de l'intérêt, de la passion, de la foi, de l'égoïsme et de l'abnégation, de la prudence et du risque, ou même de ce que, faute d'un autre mot, nous appelons la folie ? Nul ne le sait. « Au bout d'un siècle d'efforts, écrivait l'autre jour M. Henri Davenson, il faut bien constater qu'on n'a pas réussi à édifier une science objective, contraignante de l'histoire : il n'existe pas une science historique, mais une série de points de vue divergents et irréductibles sur le passé. » Aucun réaliste ne saurait donner le sens d'une vie humaine, si médiocre qu'on la suppose, pourquoi donnerait-il un sens à l'histoire ? Et si l'histoire n'a pas un sens réaliste, que diable viennent faire parmi nous ces imbéciles ? Ces imbéciles, comme tous les imbéciles, concluent, du plus petit au plus grand, ils croient dur comme fer, qu'on fait l'histoire ainsi qu'on fait une carrière, une carrière diplomatique, politique, académique. Il n'en est rien. Je le demande à quiconque peut se rendre le témoignage qu'il a vécu, vécu d'une vraie vie humaine, connu le bien et le mal, acheté chèrement ses joies, payé ses fautes, vécu fortement. Qu'il passe le dossier de sa vie au réaliste, avec les événements et les dates, ne sera-t-il pas atterré de voir ce que l'interprétation réaliste peut faire d'une vie d'homme, d'une vie d'homme vivant ? O miracle, voilà que cette vie ressemble exactement à celle du réaliste, elle est celle du réaliste, elle est le réaliste lui-même. Muni des renseignements indispensables, le réaliste l'aura remontée pas à pas, il aurait repris de même, méticuleusement, à rebours, la vie de Napoléon, de saint Paul ou de sainte Thérèse, et il serait sorti de là, tout guilleret, sans avoir mouillé sa chemise, persuadé d'avoir été tour à tour, saint Paul, sainte Thérèse, ou Napoléon. Car il lui suffit de substituer à mesure ses calculs aux grandes passions, travaillant sur un canevas, comme un enfant remplit de couleurs les blancs d'un dessin qui reste heureusement visible à travers sa peinture. Il ne viendra jamais à l'esprit du réaliste que sa reconstitution est fausse, pour cette raison que tous les petits calculs intéressés ensemble ne font pas plus une destinée que les mots du dictionnaire à eux seuls l'Illiade ou la Chanson de Roland. On peut bien réduire l'histoire à de petits calculs réalistes, mais il faut que ce soit de l'histoire déjà faite. Le réaliste flotte à la surface de l'histoire et explique gravement au public, massé sur la plage, l'origine et le mécanisme des lames de fond.

Les réalistes n'ont jamais réussi que les basses besognes de l'histoire, où ils sont, en effet, incomparables. Mais nous vivons dans un monde si mal fait que les domestiques et les hommes de main y prennent la place des maîtres. Je crains que personne ne soit aujourd'hui réellement sensible, par exemple, à l'énorme, à la flamboyante ironie du spectacle donné chaque jour par M. Maurras approuvant ou morigénant les dictatures... — Composition de dissertation française — Sujet de la dissertation — Lettre d'un sénateur romain à Jules César pour l'inviter à ne pas immoler à sa gloire la liberté du genre humain. — Nous sommes toujours au collège. Lorsqu'ils ne méritent pas le nom d'abjectes canailles, les réalistes, je le répéterai autant de fois qu'il le faudra, sont de grands enfants, de pauvres types entrés de travers dans l'adolescence, et qui n'ont jamais pu en sortir. Les banques, les académies, le haut clergé, ou les conseils des Princes sont pleins de ces créatures singulières qui se déguisent volontiers en vieillards, renchérissent sur la réserve et la dignité des vieillards, à la manière des babies qui se dessinent des moustaches au fusain. Je dis que les blasphèmes et les défis de M. Maurras à N.-S. Jésus Christ dans *le Chemin de Paradis* sont des jeux d'écolier. Sa célèbre dédicace de *l'Enquête* l'est aussi[1]. Je me permets d'y faire allusion, parce qu'elle découvre à merveille certain envers des réalistes et du réalisme. Quoi ! les petits écornifleurs du néo-maurrassisme me reprocheront demain d'avoir parlé ici du Règne de la grâce ou de l'Ordre ou de la Charité, et ils trouvent parfaitement réaliste ce pataquès amphigourique dont on voit très bien que le futur auteur d'*Anthinéa*, en son printemps, eût terrorisé les professeurs du petit séminaire d'Aix-en-Provence ? Hé quoi, les réalistes ont de ces faiblesses ? C'est donc là le lieu et la formule du génie réaliste maurrassien, ce coin de parterre diabolique qui débouche, hélas ! sur le Jardin des Racines Grecques ? Revenons vite aux vrais réalistes, je veux dire à M. Tardieu.

Aussi longtemps que les réalistes ont fait leurs basses besognes en silence, ils ont parfois servi. Opposer des trompeurs à d'autres trompeurs n'a en soi rien de vil. Le politique réaliste s'impose

1. Cf. à la fin du livre, Annexe II.

au Prince comme l'espion. Mais les réalistes ne se sont pas contentés de faire leur besogne en silence et en secret probablement parce que ce monde voué au mégaphone n'a plus de silence ni de secret. Ils veulent être admirés, ils veulent être aimés. Ce n'est pas de leurs services qu'ils prétendent tirer gloire et profit, c'est de leur réalisme même. Qui n'est pas réaliste n'est qu'un songe creux, un idéaliste. Je réponds que le réalisme me paraît un idéalisme à rebours, une inversion de l'idéalisme. L'univers du réaliste est un monde non moins faux que celui de l'idéaliste, un monde truqué. Si le réalisme est capable d'utiliser les égoïsmes, il ne peut qu'exploiter les sentiments nobles et diminuer ainsi d'autant le capital précieux dont il tire le meilleur de ses profits. Lorsqu'il n'y aura plus d'honneur dans le monde, le réalisme crèvera sur son cadavre.

Les doctrinaires réalistes sont en train de perdre le monde. Ils perdent aussi la politique. Ce n'est pas le réalisme qui a fait les dictatures, c'est lui qui commence à perdre les dictatures, car si puissante qu'ait été la vague d'enthousiasme, d'héroïsme et d'amour qui a porté au pouvoir les demi-dieux, l'abus qu'ils font de ces forces spirituelles en tarira sûrement la source. Il en sera bientôt du mythe totalitaire ce qu'il en est présentement du mythe démocratique, car le cynisme ne soulage qu'un moment les consciences écœurées par l'hypocrisie. Les démocraties ne peuvent pas plus se passer d'être hypocrites que les dictatures d'être cyniques. Après deux mille ans de chrétienté, faudra-t-il que les troupeaux humains subissent passivement la loi de ce flux et de ce reflux ?

VI

Le monde ne sera pas demain aux réalistes. Le monde sera aux mythes. Avec la plupart de ses contemporains le pape Léon XIII croyait sans doute que les peuples se déchristianisaient par une sorte de malentendu, que ce qui était momentanément perdu pour l'Eglise l'était aussi pour toutes les formes honteuses de la superstition, qu'une société rationaliste, pacifiste, scientiste, recevant ses consignes de M. Berthelot et de M. Anatole France, finirait par se libérer du préjugé antireligieux comme des autres, et toutes sources taries, reviendrait au Catholicisme pour ne pas mourir de soif. C'est dans cette illusion que fut accueillie jadis avec des transports de joie, la conversion de M. Brunetière ou de M. Huysmans. Les élites nous reviennent, disaient de pauvres prêtres, les peuples suivront. Hélas ! les peuples ne suivent jamais M. Brunetière. Ce n'est pas de sécheresse que ce monde menace de périr, ce que nous voyons renaître sur les terres saccagées de l'ancienne Chrétienté serait plutôt la faune et la végétation des premiers âges, les fougères géantes, les monstres. Comme le disait Chesterton, les idées chrétiennes sont devenues folles ou pire — des bêtes furieuses, non sans beauté. Ce sont les peuples que vous avez perdus, imbéciles, et vous faites une drôle de tête avec vos élites académiques, scientifiques, politiques et poétiques.

Mais les pauvres prêtres sont contents, bien contents. Il y a un siècle par exemple le monde savant ne les prenait pas au sérieux, et aujourd'hui, après un petit tour à Rome, au séminaire français, un jeune ecclésiastique est presque l'égal d'un élève de Polytechnique. Pour employer l'expression chère aux Jésuites de nos Maisons, il est QUELQU'UN. C'est une affaire. Dans les serres luxueuses, entretenues à grands frais, les Cœurs Inconsolés battent plus fort à la vue de fleurs magnifiques, de légumes géants. C'est ça vos moissons, moissonneurs ? Ce sont là vos gerbes ? Inutile de retrousser vos manches, vous pouvez les cueillir avec le sécateur, le petit doigt en l'air. Vous vous disiez que les peuples sans Dieu trouveraient le monde vide et qu'ils viendraient humblement solliciter des Elites les moyens propres à satisfaire leurs instincts religieux renaissants. Vain espoir ! Les peuples sont en train de se faire des dieux, des dieux à leur mesure, et la mesure des peuples n'est nullement celle des Académies. L'égoïsme et l'excessive prospérité des élites ont toujours déterminé chez elles une crise de scepticisme ou même d'irréligion un peu rageuse qui est une maladie d'usure. Les peuples ne connaissent guère ces affections-là. C'est l'idolâtrie qui les guette, les peuples redeviennent idolâtres. Ils adorent des hommes vivants, ils adoreront bientôt des effigies de l'homme, puis des bêtes, ils retrouveront cette source d'amour perdue. Cependant les diplomates d'Eglise s'agitent, tâtent les gouvernements. Qu'ils les tâtent! Ces attouchements diplomatiques ne font de mal à personne. Si j'avais quelque titre à me faire entendre de ces personnages chamarés, je leur conseillerais la prudence. Tandis qu'ils font des chatouilles aux Ministres, les Mythes de la Terre sont là, derrière eux, en silence, tenant grandes ouvertes leurs gueules sombres. Ecartez-vous un moment, Excellences, Dieu sait ce qu'il fait, Dieu sait ce qu'attendent les Monstres. Le jour venu, il leur donnera leur plein de martyrs.

Des monstres? Quels monstres? Hé bien, quoi, donnez-leur un autre nom, qu'importe ? Telle vieille folle maurrassienne qui invite à dîner une fois par mois M. Héricourt ou M. José le Boucher se croira ainsi assurée contre tout risque de monstre. Et d'ailleurs ces Messieurs lui jurent qu'ils n'en ont jamais vu. — Propagande

— Propagande. Les Hommes Pieux, d'autre part, se communiquent les derniers échos du Congrès Eucharistique d'Alger, où le Rabbin et l'Iman ont été parfaits pour son Eminence : « Nous marquons un point » disent les Révérends Pères Jésuites. Il est clair qu'après l'appui donné par les Maures à la sainte guerre — le mot de croisade risquant d'éveiller chez les musulmans une certaine méfiance à l'égard des procédés diversement bienveillants de la politique ecclésiastique, et celui de Guerre Sainte, ayant été jugé sans doute dangereux pour la sécurité des Roumis, — on ne peut refuser aux muftis des égards qui d'ailleurs n'engagent à rien, les républicains espagnols dont l'avènement avait inspiré de si belles, de si clairvoyantes et si enthousiastes pages aux Jésuites des *Etudes*, en savent maintenant quelque chose. Bref, il n'est nullement question de monstres dans tout cela. Où sont les monstres ? Les voyez-vous ? Mon Dieu, je ne les vois pas non plus. Je sais seulement que l'industrie de guerre absorbe toutes les forces des Nations. Un peu de temps encore, et pourvu que triomphe la mystique totalitaire, l'universelle évacuation de la vie dans la Mort, accueillie par les manifestations d'un délire sacré, les chants et les danses, paraîtra le destin naturel de notre espèce. Le genre humain couché sur la guerre, après s'être vidé jusqu'à la moelle entre ces cuisses voraces, disparaîtra tout entier, tête la première, dans le hiatus énorme, en hurlant de joie, et il se trouvera sans doute quelque réaliste, clerc ou laïque, échappé à la catastrophe, pour soutenir qu'un paragraphe oublié dans un traité depuis longtemps mangé des vers, est cause de tout le mal : « Cela n'est pas encore arrivé ! » — Bien sûr, Excellences, mais quand cela viendra, il sera trop tard et si cela n'est pas venu, cela semble bien venir. Aucun contemporain de Léon XIII, ni Léon XIII lui-même, ne paraît avoir prévu très clairement l'état actuel de l'Europe. L'opinion des Excellences sur l'avenir me paraît presque négligeable. Je puis croire à la sincérité, au sérieux, à la modération, à la circonspection, mais non pas à l'imagination des Excellences.

L'homme grave, pondéré, digne, le doctrinaire du réel, en un mot, s'impose d'âge en âge par le ton, les manières, le sourire, le regard fin, toute une pantomime qui n'a certainement pas varié depuis des millénaires. Que de fois ai-je observé, avec une curiosité ardente, de quelque recoin obscur, ces animaux graves ! On ne saurait dire qu'ils s'imposent tous par la dignité de leur vie, car beaucoup d'entre eux sont de vieux polissons, nul ne l'ignore et ils ne sont pas les moins écoutés, ni par la sûreté ou la conformité de leurs prévisions, puisqu'ils appartiennent à tous les partis, et le Catholique Digne ne peut évidemment aboutir aux mêmes conclusions que l'Agnostique Digne, ou l'Athée Digne, chacun tenant ferme pour la science et le prestige de ses docteurs, l'imminent triomphe de leur doctrine. Ils se trompent régulièrement, rien n'y fait, le charme opère. On est pris d'une sorte de vertige, lorsqu'on pense par exemple, à tous les hommes graves qui, au cours des premiers siècles de notre ère, généralement à l'issue d'un bon dîner, prédirent dans le même langage, avec les mêmes gestes, le même sourire, la ruine très prochaine d'une petite secte de fanatiques irréalistes. Dieu ! Je vois hocher ensemble ces milliers de têtes, comme dans un gigantesque miroir tournant, le cœur me monte aux lèvres, j'ai envie de vomir.

D'où vient donc notre étonnante docilité à recevoir les avis de ces Ministres de l'Erreur Pondérée, de la Vérité Relative ? Hélas! leur unique force est sans doute de nous parler comme à des enfants. Nous reconnaissons, à notre insu, le regard doucement railleur, la voix qui ordonne et condescend tout ensemble, le visage penché, la main qui tour à tour voltige autour des boucles blondes ou s'abat brusquement sur la joue. Le monde moderne nous apprend à rougir de l'enfance, de notre enfance, et nous la retrouvons, nous la buvons à grands traits, sur ces lèvres usées par le cigare, sur ces dentures branlantes ou ces rateliers éclatants comme au sein dodu de nos antiques nourrices. On nous explique gravement que les bébés naissent dans les choux, que les grandes personnes sont sages, que le loup dévore les petits garçons désobéissants, qu'une tisane guérit les bronchites, et que la soupe fait grandir. Nous savons bien qu'on se fiche de nous, mais la sécurité qui sort de ces créatures est chaude et douce, elle sent le lait. Elle nous humilie et nous rassure. Elle nous rassure précisément parce qu'elle nous humilie, qu'elle humilie cette part dangereuse de nous-mêmes, toujours vivante, qui souhaite le risque, l'honneur, l'amour, la gloire.

Hé quoi, me dit-on, vous reniez la sagesse des vieillards, vous insultez aux cheveux blancs? Mais non. C'est vous qui ne savez plus ce que c'est qu'un vieillard, la race des vieillards est peut-être perdue. Si bêtes que vous soyez, attentifs aux moindres mouvements des cours de la Bourse, profondément indifférents, par exemple, à la création de types nouveaux, parfaitement caractéristiques de notre civilisation, vous n'oseriez tout de même pas confondre les hommes dont je viens de parler avec les vieillards d'Homère et de Virgile. Le rythme de la vie moderne est beaucoup trop rapide pour permettre cette floraison tardive de l'animal humain, des belles fleurs d'extrême automne, qui s'appelaient Joinville, ces merveilles de prudence et de foi, d'héroïsme et de fidélité, ces fières tristesses compatissantes, ouvertes encore à toutes les fraîches images d'une enfance jamais reniée. Dans l'état présent du monde, devenir un vieillard est presque aussi difficile que devenir un Saint. Vous croyez qu'on entre dans la vieillesse par ancienneté, imbéciles! Vous n'êtes pas des vieillards, vous êtes des vieux, des retraités. Nous avons pitié de vos prostates, de vos vessies, de vos artères, nous ne sommes nullement tenus à respecter votre usure. M. Tardieu n'est pas un vieillard. M. Gaxotte et M. Massis ne seront pas des vieillards. J'ai connu des vieillards dans ma jeunesse et l'idée ne me serait jamais venue de les confondre avec les hommes mûrs, leur imagination était aussi fraîche que leurs vieilles joues vénérables où le sang montait si vite. La réserve du vieillard n'est pas moins mystérieuse que la pudeur de l'enfant, tient par des fibres secrètes à la même âme profonde qui est celle de la race et des aïeux. N'est-ce pas, cher vieux compagnon, qui cet été, sur le pont du navire, d'un seul regard de vos yeux clairs, me rendiez aussitôt insupportable, intolérable tout ce que la vie a pu dessécher en moi? Nous sommes des gens qui ne renonceront pas, qui ne se rendront pas. Nous mourrons sur la page blanche ou le livre non coupé, comme tant d'autres jadis, sous leur cheval, car nous ne sommes pas d'une espèce différente, leurs jeunesses et les nôtres s'appellent à travers le temps. Nous ne serons pas jugés par pièces ou par fragments, mais d'un seul coup, tout entiers. Nous serons jugés sur notre tâche, et nous ne faisons qu'un avec elle, nous sommes nous-mêmes notre tâche, chacun la sienne. Dieu veuille que nous ayons besogné comme les enfants jouent, passé d'un seul élan du jeu au travail et du travail jamais achevé à l'éternelle ascension !

La plus dégoûtante création du monde moderne — l'homme réaliste, — c'est-à-dire la créature singulière, jadis si rare, en qui nous voyons rassemblés les vices de l'aventurier, la prudence et l'avarice du bourgeois, le cynisme et l'hypocrisie, n'appartient ni à la vieillesse ni à l'enfance. Ce que vous attendez de lui, à votre insu peut-être, c'est la profanation effrontée des valeurs surhumaines de la vie. Le réaliste rabaisse la vie, pour vous épargner la peine de la surmonter. Il ne suffit plus que de vous laisser tomber dans la vie, les pieds joints. Le rôle qu'assume auprès de vous l'homme pratique, positif est exactement celui de l'adolescent trop précoce — si précoce qu'il ne s'arrêtera plus de pourrir — auprès de jeunes compagnons à qui, dans un coin sombre, il apprend ce que c'est que l'amour — rien que ça, mon vieux — avec les gestes. Le monde est aux mains douteuses de ces aigres potaches. Le leur laisserons-nous ?

Vous pouvez évidemment essayer de le partager avec eux. Ils ne refuseront pas une place à l'Eglise — celle de ces aumôniers de lycées, dont parle Montalembert — paradant sur l'estrade, le jour des Prix, aux côtés des autorités civiles et militaires — méprisés le reste de l'année. Certes, il est possible que les traditions de la Chrétienté soient à jamais mortes, non seulement dans le souvenir, mais jusque dans la chair et le sang de ce peuple baptisé. Qu'en savez-vous ? Car enfin, je vous le demande : Quelle idée ce peuple peut-il se faire de la Chrétienté, de l'ordre chrétien ? A la rigueur, les plus curieux savent quelque chose de nos dogmes. Je vous le demande: L'idée peut-elle leur venir que l'Eglise est autre chose que le Temple des Définitions du Devoir, une vaste Ecole de Morale et de Religion ?

« Et nos œuvres, me direz-vous. » Oh ! pardon ! L'assistance aux malades, aux infirmes, aux vieillards, aux chômeurs, l'instruction des enfants, l'éducation postscolaire — l'Etat moderne prend à charge tout cela. Il dispose d'énormes capitaux, d'une administration géante, le jour viendra, si vous n'y prenez garde, où la Charité du Christ coûtera plus cher — oui, COUTERA PLUS CHER — aux misérables que l'opulente providence totalitaire. Car enfin, vos moines et vos religieuses doivent manger tous les jours, les architectes ne travaillent pas pour rien, et il ne dépend que du percepteur de faire tomber dans ses caisses, au nom de la Loi, jusqu'au dernier centime du budget de la bienfaisance particulière. Tarissant systématiquement vos ressources et perfectionnant sans cesse, avec le propre argent de vos anciens bienfaiteurs, des établissements rivaux des vôtres, comment ne triompheraient-ils pas d'une résistance chaque jour affaiblie ? Oh ! sans doute, les apôtres ne vous manqueront pas, mais le dieu totalitaire les aura poliment, avec beaucoup d'égards, respectueux de la Lettre des Concordats, privés de tous leurs moyens d'action. A côté des puissants établissements officiels, vos œuvres risqueront de n'être plus que des survivances du Passé, des symboles, permettant l'accomplissement de rites vénérables, comme celui du Lavement des Pieds, le jeudi saint. D'humbles annexes à la Grande Ecole du Dogme et de Morale, où un petit nombre d'élèves s'exerceront aux travaux pratiques de la charité, sous la surveillance des professeurs. Faudra-t-il louer des pauvres à la semaine, comme les peintres louent des modèles ? Cette suggestion vous fait hausser les épaules ? Que demain M. Hitler vainqueur puisse disposer des milliards de son actuel budget de guerre, et vous verrez si je mens. Vous vous serez laissé couper des Pauvres, des Malades, des Infirmes. Un peu plus tard, comme je l'ai cent fois prédit, la

Rationalisation totalitaire, lasse de les entretenir à grands frais, commencera de les supprimer progressivement, d'une manière ou d'une autre, au nom de l'hygiène, de la sélection, de la Race, par une législation appropriée. Dieu veuille que vous puissiez alors renouer à temps avec ces Lamentables si profondément déshabitués de vous, de vos bienfaits! Dieu veuille que vos chancelleries s'emploient à rédiger d'urgence un concordat avec le Peuple de la Misère, que ce grave événement ne vous prenne pas au dépourvu, après de trop longs loisirs forcés, en pleine réforme du Bréviaire ou du Plain-chant!

Car le dessein d'atteindre l'Eglise dans son magistère de charité, dans ses apôtres plutôt que dans ses docteurs, dans les saints et dans les saintes dont l'humble travail quotidien, connu de Dieu seul, est aussi le sang du corps mystique, y fait circuler partout la chaleur et la vie, ne m'apparaît pas indigne de la terrible sagacité de M. Hitler. Permettez-moi de le dire, en passant, Excellences, je me demande si nous comprenons très bien les demi-dieux. Nous avons l'esprit plein de souvenirs bibliques, des Nabuchodonosor, et des Assuérus, des tyrans fastueux qui se saoulaient de pouvoir absolu comme de filles ou de vin, et lorsque nous lisons quelque Histoire de l'Eglise, le sage et discret auteur a eu soin d'y faire valoir, aux dépens des Rois et des Empereurs, vaniteux et sots, brutaux ou rusés, généralement perdus de mœurs, la prudence et l'intégrité des Pontifes. Humainement d'ailleurs, qui ressemble plus aux satrapes d'Asie, que les Papes de la Renaissance, constructeurs de ces lourdes bâtisses qu'ils jugeaient incomparables parce qu'à prix d'or, ils y avaient fait travailler ensemble dix ou vingt génies besogneux : architectes, peintres, sculpteurs, mosaïstes, ciseleurs — illusion naïve car ces palais de Dieu ont trop de pères pour avoir un nom, trop d'esprits pour avoir une âme. (Entre nous, parfois, votre politique leur ressemble.)

Bref, je crains que vous ne soyez mal préparés à comprendre l'ascétisme de M. Hitler, dont le neveu rince des verres dans un restaurant de Vienne, tandis que le moindre cousin du Souverain Pontife est le plus souvent comte, ou du moins richement marié. Les besoins d'un tel homme sont nuls, il n'y a plus de demeure royale, fût-elle cent fois plus vaste que le Vatican, que ne ferait éclater son orgueil, s'il est permis de donner ce nom à un sentiment évidemment plus profond, qui le fait communier tout vivant encore, à l'histoire de sa race et de son pays. La lutte qu'il entreprend contre l'Eglise n'aura certainement pas les caractères de celles dont vous êtes jadis sortis victorieux. Les Empereurs en voulaient à votre or, à vos biens, à vos prestiges, et aussi à vos commandements, lorsqu'ils souhaitaient d'épouser leur concubine... Il n'y a là hélas ! rien de pareil. M. Hitler aime son peuple d'un amour sans doute totalement désintéressé, sacrificiel, mystique. Il nous reste à souhaiter que ceux que vous lui opposerez, au nom de l'Evangile, aiment Dieu comme il aime son Peuple.

Car enfin tout est là, n'est-ce pas, nous nous sommes bien compris, nous parlons d'ailleurs le même langage. Que l'Eglise soit hautement digne d'amour, nul n'en doute de ceux qui la voient dans le Christ, mais cette clairvoyance n'est-elle pas une grâce de Dieu ? Lequel d'entre nous a mérité cette grâce ? Qui oserait s'en prévaloir auprès de tel pauvre homme ne voyant, lui, qu'avec ses yeux d'homme ? Sommes-nous, à ces gens-là, dignes d'amour ? Voilà ce que je demande. Et je demande encore si vous vous posez la question, ou si vous ne vous la posez pas mal, si vous n'avez pas perdu l'habitude de vous la poser. Lorsqu'on pense à ces évêques des premiers siècles que l'enthousiasme des fidèles portait malgré eux jusqu'au trône, que le peuple traînait de force à la Cathédrale, dans l'acclamation unanime et le son des cloches, on a beau ne souhaiter nullement la restauration de ces usages puisque l'autorité légitime la juge impossible, on se trouve tout de même un peu gêné en face de n'importe quel obscur supérieur de grand Séminaire, hier inconnu de son troupeau et qui le jour de l'intronisation reçoit sans sourciller des éloges qui auraient confondu saint Athanase ou saint Augustin, s'entend proclamer l'idole du diocèse, en des phrases toujours pareilles qui ont servi pour ses devanciers, serviront pour ses successeurs. Oh ! je sais, c'est la dignité qu'on loue, et elle est assurément digne de louange. Mais lorsque l'amour paraît si facile à mériter, ne risque-t-on pas de laisser s'affaiblir en soi une certaine volonté créatrice à laquelle la contradiction d'autrui et le doute de soi sont aussi nécessaires qu'à la graine sauvage l'averse et le vent ? Quel écrivain, quel artiste ne souhaiterait d'échapper à l'écœurante atmosphère de l'admiration familiale, même si celle-ci est sincère? Or l'admiration qui vous enveloppe ne l'est pas toujours. Je veux dire qu'elle a rarement le caractère de l'attachement personnel, ou pis encore : elle est surnaturellement intéressée, elle rapporte, puisqu'elle passe pour agréable à Dieu, méritoire, elle est en soi une bonne action, et d'autant meilleure, sans doute que les mérites du dignitaire sont plus minces.

Pour écrire ces humbles vérités, je ferai auprès d'un grand nombre de braves gens figure d'insoumis. « De quoi vous mêlez-vous? L'Eglise n'a-t-elle pas la promesse du Christ ? » Bien sûr. Mais il y a aussi, du Seigneur, une parole troublante : « Lorsque je rentrerai, trouverais-je des amis chez vous ? » Je sais parfaitement que le règne de Dieu viendra; suis-je un sacrilège parce que je désire, de toutes les forces de mon cœur, qu'il vienne, autant que possible, pour tout le monde ? Quoi ! les mêmes dévots ou dévotes qui prétendent souvent donner à la maxime : « Hors de l'Eglise, point de salut » son sens le plus étroit, ne paraissent nullement se préoccuper d'en rendre les parvis accueillants aux hommes de bonne volonté ! « Je me trouve dedans, s'écrie le dévot. Dieu m'y maintienne! » Que vous soyez là où vous dites, je n'en suis pas si sûr que vous, et personne au monde, fût-ce Notre saint Père le Pape, ne saurait formuler, sur cette grave question, une réponse absolument péremptoire. Les Scribes se croyaient sûrs de l'amitié de Dieu, et si le Pharisien Paul n'avait pas été se promener du côté de Damas, il serait peut-être mort tranquillement dans son lit. Car le Seigneur est aussi un homme, il jouit de ce précieux privilège des hommes, il choisit pour amis qui lui plaît. On n'entre pas dans le Paradis avec un billet de confession, chère Madame, mais avec un cœur contrit et humilié. De cœurs contrits et humiliés, je n'en ai pas connu beaucoup. Je n'oserais jamais donner le mien pour tel, Dieu le sait ! Et maintenant je vous demande : Quel étranger ignorant de nos dogmes et qui ne connaît rien de l'Eglise, sinon vous-mêmes, pourrait découvrir à lui seul que la Maison du Père est si ouverte qu'on y demeure parfois à son insu, comme tant d'honnêtes gens qui appartiennent, sans le savoir, à l'âme de l'Eglise, à la charité du Christ ? Je comprends très bien que vous éleviez des murailles, creusiez des fossés, à l'abri desquels vous vivez. Je ne blâme pas votre prudence. Mais au-dessous de vos barbacanes, vous feriez mieux d'écrire en grandes lettres, à l'adresse de tous les élus des Béatitudes qui regardent du dehors, avec mélancolie, vers ces créneaux vertigineux, qu'en faisant le tour des fortifications, ils risquent de rencontrer une porte ouverte, d'entrer chez vous comme chez eux.

Je m'intéresse à ces gens-là, que voulez-vous, c'est mon droit. Je crains pour eux des malentendus, et qu'en vous voyant ces mines de propriétaires, ils n'aillent s'imaginer qu'il n'est pas d'autre moyen de se rapprocher de Dieu que vous ressembler, je dis d'une ressemblance humaine, d'appartenir au même type humain que vous. J'ai le droit de trouver les milieux cléricaux peu sympathiques et il y a des milliers de prêtres ou de moines qui partagent sans l'avouer, mon opinion sur ce point. Il serait d'ailleurs injuste de rendre ces milieux responsables d'une espèce de déformation due à des causes très diverses. Après deux mille ans de Chrétienté, un chrétien devrait pouvoir vivre à l'air libre, les chrétiens devraient pouvoir vivre la vie de chrétienté. Or, depuis deux ou trois siècles, votre vocabulaire même est celui d'une place assiégée, d'une île battue par la mer. C'est un vocabulaire de conservation, de défense, d'aide mutuelle, de coopération, c'est tout ce que vous voudrez, sauf un vocabulaire de conquérant. Or le peuple chrétien est un peuple conquérant. Hélas ! notre société s'est organisée peu à peu sans lui. Plût au Ciel que cette société lui fût réellement étrangère ! Mais elle a été chrétienne, elle ne l'est plus. Elle a construit sur des plans chrétiens, selon nos méthodes, les défenses mêmes qu'elle nous oppose. L'Allemagne de M. Hitler rappelle le Saint-Empire, la démocratie exploite sournoisement ce qui reste de ce rêve si médiéval d'une Europe libre et unie. Ainsi l'Eglise n'a rien abandonné de ses dogmes, elle a surnaturellement développé, précisé sa doctrine. Mais l'Eglise n'est pas seulement une congrégation de fidèles, elle est une société humaine, et qui souffre de n'avoir pu mener jusqu'au bout l'immense entreprise de son accomplissement temporel.

Irréprochable du point de vue de la croyance, le chrétien moderne n'offre plus socialement, humainement, qu'une image prodigieusement affaiblie de ce qui fut jadis l'homme chrétien. L'Eglise forme les âmes, ce sont les institutions, les mœurs, l'hérédité, qui forment les types humains. Evidemment les saints restent les saints, mais on ne rencontre pas de saints tous les jours. Ceux qui s'efforcent de marcher sur leurs traces ne se font guère connaître, ou par cette qualité profonde de l'être qui est comme le rayonnement du silence intérieur. La paix qu'ils dispensent ne semble pas venir d'eux et l'ignorant qui jouit d'elle en passant l'oublie vite, comme le passereau un soir d'hiver traverse la pièce tiède et lumineuse, d'une fenêtre à l'autre, d'un seul coup d'aile, se perd de nouveau dans la nuit. Reste le bon catholique, au sens où l'entendent les Révérends Pères Jésuites, l'épreuve tirée à des millions d'exemplaires, qui ne valent ni le bien ni le mal qu'on en dit, si parfaitement semblables entre eux, interchangeables, qu'à l'heure des vêpres, le dimanche, il est facile de changer de paroisse sans changer de visages, les bons sujets, les bons élèves, toujours prêts à mériter un bon point de leurs maîtres pour quelque parole édifiante, généralement indiscrète, jetée en hâte au prochain, réservoir intarissable où puisent les vicaires ambitieux, impatients d'ajouter une œuvre, une confrérie, à la liste déjà trop longue, orgueil du pasteur, consolation des inconsolables cœurs épiscopaux, braves gens qui auront si peu marqué dans l'histoire que les Jésuites futurs pourraient en nier demain l'existence s'il ne devait rester de ces fantômes, comme d'une civilisation abolie, des témoignages écrasants, la littérature bigote, la musique bigote, l'art bigot.

Je dis que ces témoignages sont écrasants. Devant eux, inutile de plisser les paupières, de sourire de coin, ou de faire des effets de jabot, comme les pigeons géants du Yorkshire. Il ne s'agit nullement d'imposer au peuple chrétien des formules d'art raffinées, je hais les formules d'art raffinées autant que le peuple, il ne saurait y avoir de raffinement dans l'art, il y a de l'âme. Les vers de M. Cocteau n'ont pas d'âme et la moindre vieille chanson française a une âme. Il ne m'en coûte pas d'accorder que « la Madelon » elle-même a comme une espèce d'âme, vous voyez que je n'en demande pas trop. Votre art, ou ce qu'on appelle de ce nom n'a pas d'âme. Il est aussi loin de la naïveté que les vers de M. Cocteau, il est même diablement retors, il suppose, chez ses auteurs, une connaissance profonde de la psychologie ou même de la pathologie des médiocres, il s'adapte d'une manière merveilleuse aux formes les plus basses de la dévotion et jusqu'à ses tics morbides. Il est clair qu'un garçon normal ne saurait tirer aucun avantage à prier devant un mannequin peinturluré, grossièrement réaliste. Mais ce n'est pas pour lui qu'il est fait. C'est pour la bigote innocemment idolâtre, qu'on a peint en rose les pieds du saint, dessiné soigneusement ses ongles, afin qu'elle puisse poser dessus son dentier. L'homme qui vient demander au bon Dieu de l'aider à vivre, et le jour venu, à mourir aussi loyalement qu'il se sera efforcé de vivre, a le cœur plein d'un sentiment simple et viril, qui ne peut se traduire dans la musiquette pâmée des cantiques. Mais cette musiquette n'a pas été écrite pour lui. Elle est faite pour le pensionnaire de quinze ou de soixante ans, pour les pubertés ou les ménopauses trop caressantes, pour les fidèles pénitentes de M. l'abbé Soury. Qu'importe tout cela ? Oh ! pardon ! Lorsque vous entrez pour la première fois dans une maison abandonnée de ses hôtes, qui y ont vécu en famille et l'ont quittée brusquement, est-ce qu'un coup d'œil sur le mobilier, l'installation, les tableaux et les photos pendus au mur, ne vous renseignera pas sur ces gens-là, leur rang social, leur éducation, leurs habitudes, leurs mœurs — beaucoup mieux qu'une longue enquête ? Hé bien ! supprimez par la pensée tout ce qui nous reste encore de la vieille Chrétienté, imaginez vos bibliothèques consumées par le feu du ciel et le dernier de vos paroissiens émigré dans la lune, l'aspect des lieux où nous avons vécu nos croyances donnerait une singulière idée d'elles et de nous. Voilà les peuples que vous avez faits !

On n'a rien compris à ma modeste expérience d'Espagne. Certes, je ne me faisais pas plus d'illusions qu'un autre sur la médiocrité des masses pieuses. Je dis que cette médiocrité ne peut passer inaperçue, qu'elle se marque à des signes matériels, physiques, que le Bon jeune homme, le Bon monsieur, la Bonne dame, la patronnesse, se dénoncent pas certains traits communs dont s'amusent les prêtres eux-mêmes. Je me disais que l'action catholique était une grande idée pontificale, encore que sa réalisation apparût difficile, avec un si pauvre matériel humain. Qu'importe ! J'imaginais ces pauvres diables inoffensifs, une pâte facile à modeler. L'Action Catholique compte des hommes de valeur, bien qu'en trop petit nombre. Après tout, pensais-je, le chrétien moyen respire aujourd'hui un air raréfié, si peu riche de chrétienté qu'il souffre probablement d'anémie. Avec des soins, de l'exercice, une nourriture substantielle, un climat plus salubre, ce que je prends pour la bêtise pourrait bien redevenir cette douceur à qui la possession de la Terre fut promise. Qui est sûr de reconnaître du premier coup l'arbre dans la semence ? Mon expérience espagnole n'a pas laissé subsister grand'chose de ce doute charitable.

La médiocrité des masses pieuses n'est pas à base de faiblesse ou de douceur. Le bon Jeune homme, le bon Monsieur, la bonne Dame de l'Epuration majorquine ne ressemblaient pas plus à la bonne Dame de la République cléricale de M. Gil Robles que le message pontifical aux catholiques mexicains à la lettre de l'Episcopat espagnol. Il y a quelques années, M. L. Blum, assailli dans sa voiture, recevait un coup de canne sur le nez qui brisait son lorgnon. Dieu ! Dès le lendemain, toute la presse pieuse, de « la Croix » aux « Etudes », flétrissait au nom de l'Evangile, ce coup de force abject. L'Eglise repoussait la force. L'Eglise refusait toute complicité, même morale, avec ces bandits, ces brutes, les dénonçait au mépris des gens de bien. N'est-ce pas, révérend Père du Passage ? dont le nom m'apparaît symbolique, car vous passez d'une opinion à son contraire aussi élégamment qu'un cheval bien mis d'une diagonale à l'autre.

Hé bien, le bon Jeune homme, le bon Monsieur, la bonne Dame me sont tout à coup apparus non comme les innocentes épaves que l'opportunisme clérical entraîne dans son flux et reflux, mais comme cet opportunisme lui-même, tour à tour timide ou brutal, niais ou féroce. Ils manquaient évidemment de force, ce don de l'Esprit ne semblait guère leur avoir été départi le jour de leur Confirmation. Mais ils étaient parfaitement capables de mettre la violence au service de leur médiocrité, voilà ce qui m'allait à l'âme. Je découvrais qu'on peut avoir été élevé dans l'horreur de Marat ou de Robespierre, des tribunaux de 1793, des massacres de Septembre, de la Loi des Suspects, des colonnes infernales parcourant la Vendée fumante, pleurer sur la mort des Otages, sur le bombardement de Saint-Gervais et se féliciter des mêmes crimes dès qu'on s'en trouvait les bénéficiaires et non plus les victimes.

Le Crime mis au service d'une certaine médiocrité, voilà l'épreuve que je me permets de redouter pour l'Eglise. Je dis le crime et non la violence, car je n'ai jamais condamné la violence, je ne suis pas une de ces femelles démocrates qui mettent dans le même sac la violence et le crime parce qu'elles ont placé trop bas, plus bas que le cœur l'organe des émotions sensibles. On m'avait appris à redouter le crime au service du Mal et je le voyais au service du seul ordre que je puisse à la fois reconnaître et aimer. J'espère bien que vous n'en êtes tout de même pas à confondre le sac de Jérusalem dans l'exaltation de la victoire et le sadisme administratif et policier de Fouquier-Tinville ou du soi-disant comte Rossi ? Plût à Dieu que la cruauté de ces larves majorquines me fût alors apparue comme la manifestation d'un tempérament excessif ! Mais ces larves sanglantes restaient froides et molles jusque dans le rut de la vengeance et de la haine. Elles tuaient ou faisaient tuer sans risque, sans risque en ce monde ou dans l'autre, sales bêtes, bêtes puantes, avec l'autorisation de leur confesseur et les mêmes grimaces dont elles suivaient jadis, chaque soir, le rangement du tiroir caisse. Car c'est là le point, c'est là le nœud du débat. Le bon

Jeune homme, le bon Monsieur, la bonne Dame peuvent bien passer pour des chrétiens de petit tempérament, de petite santé, dont les tristes nécessités justifient vos petits livres, votre petite musique, vos petites dévotions, bref ce régime rafraîchissant, adoucissant dont les spécialistes préparent soigneusement le menu. On oublie seulement que ces petites bêtes du bon Dieu, ces moutons frisés que nous voyons ici, à l'office, le col ceint de rubans rouges ou bleus, sont à la ville des avoués ou des huissiers très experts, des commerçants plus âpres que le coing vert, de très acides procureurs. Eperdument dociles aux consignes ecclésiastiques touchant la politique extérieure ou intérieure, fussent-elles transmises par la chaisière — que leur en coûte-t-il, puisqu'ils n'ont pas d'opinion sur la matière ? — ils redeviennent eux-mêmes dès qu'il s'agit de leurs carrières ou de leurs sous. Lorsque je n'étais qu'enfant, tel pieux paysan de mon village qui s'étonnait que je me fusse battu aux Inventaires — qui frappe du bâton périra du bâton — trouvait tout naturel de guetter, la nuit, son fusil chargé de plomb n° 3 à la main, l'inconnu qui lui volait ses poules. Je n'ai compris qu'à Majorque l'importance de ce petit fait. C'est comme ça, voyez-vous, mes bons Pères, on ne se méfie pas... Je savais parfaitement que le Monsieur qui sort sa langue par le coin de sa bouche, multiplie les signes de croix convulsifs devant quelque statue multicolore et dès qu'il se sent observé pique un fard, rentre la langue, fait gravement le geste de chercher sa montre dans le gousset, n'était pas capable de servir dans une vraie Croisade, avec Saint Louis. Mais j'ignorais qu'il pût si ardemment faire les frais d'une fausse. J'ignorais que sous les cendres, le feu des guerres de religion couvait encore et qu'il suffirait pour l'embraser d'une conjonction explosive de l'avarice et de la peur.

Le R. P. du Passage parle élégamment de mon cauchemar à Majorque. Charmant euphémisme ! Si les singes rouges massacrent à Barcelone, c'est un fait. Si les singes blancs tuent à Palma, c'est un cauchemar. Lorsqu'une torpille tombe dans la rue, fait sauter jusqu'à l'appui de sa fenêtre le cadavre éventré d'un gosse, le singulier gentilhomme des *Etudes* observe d'abord le Ciel, non pour y invoquer le bon Dieu, mais pour tâcher de reconnaître si l'avion est bien pensant. Dans ce dernier cas, il cache précipitamment les petits boyaux dans sa cheminée afin de ne pas compromettre la Croisade des Bons Monsieurs.

De quelle sacrée bouche, le singulier gentilhommes des *Etudes* a-t-il reçu jadis sa première leçon d'honneur ? Cher bon Père, c'est vrai pourtant : j'ai fait un cauchemar à Majorque. J'y ai rêvé que trop égoïstes et trop lâches pour, comme disait Péguy, « faire les frais d'une restauration économique, d'une restauration sociale, d'une restauration temporelle pour le salut éternel » vos petits moutons du bon Dieu prenaient le mors aux dents. Ce rêve n'a d'ailleurs rien d'étrange. N'eût été la farouche énergie du vieux Pape, les associations catholiques risquaient bien de se retrouver un jour, presque à leur insu, au service de la propagande totalitaire. Pour ne parler que du Brésil, le Parti Intégraliste, qui a fait la sanglante révolution de Sao Paulo et mettait dernièrement encore en péril le nouveau régime, recrutait à tour de bras dans les masses pieuses.

L'état présent du monde favorise merveilleusement cette sorte de malentendu. Votre attitude en face d'une société moribonde est elle-même trop contradictoire. Lorsque vous redoutez de partager ses responsabilités, vous repoussez toute solidarité avec elle, vous la traitez publiquement de païenne. Mais vous vous réservez de l'assister, le cas échéant, au nom du moindre mal. Elle se passe très bien de vous pour agir, sûre qu'elle est de vous retrouver dès qu'elle aura besoin de se défendre. En sorte que depuis un siècle, vous accueillez par des clameurs chaque victoire du paganisme renaissant, mais le pas franchi, vous l'aidez à consolider ses positions, dans l'espoir ingénu qu'il en restera là. Le siège de la Catholicité reste bien à Rome, mais l'axe de la politique cléricale est à Munich. Qu'un pantin diplomate se balance indéfiniment de droite à gauche au bout d'une ficelle, ce n'est qu'une expérience de physique innocente, à la portée du moindre laboratoire de collège. Mais vos masses pieuses pèsent un poids énorme, et il est dangereux de démontrer la loi du pendule avec un instrument de plusieurs milliers de tonnes. A votre place, je craindrais qu'il n'échappe et que ce ne soit pas du bon côté.

Si vos moutons sont dociles, c'est qu'ils ne demandent honnêtement qu'à paître, qu'à paître n'importe où, n'importe quoi, sous n'importe quelle houlette. Paître c'est-à-dire exercer leur profession, gagner leur vie, faire leur carrière, toucher leurs rentes ou leur retraite — ce que les R. P. Jésuites appellent, non sans une large indulgence, pratiquer les devoirs d'état. Or, vous ne les empêchez nullement de paître. Vous les encouragez à paître, selon leur humeur et leur appétit, sans toutefois offenser le bon Dieu, du moins gravement. Et du même coup vous leur épargnez une bonne part des soucis qui pèsent sur la vie de tant d'hommes. Ils savent une fois pour toutes qu'ils doivent penser tout ce que les intérêts des pasteurs exigent qu'ils pensent sur la politique, les hommes en place, les élites, la paix sociale, les injustices à tolérer ou à ne pas tolérer, à citer ou à dénoncer, et même, grâce à M. l'abbé Bethléem, les livres à lire ou à ne pas lire. Mais à quoi bon s'enquérir des intérêts de l'Eglise puisque vous en jugez mieux qu'eux ? A quoi bon se former une opinion sur tant de matières, mettre un doigt dans l'engrenage, au risque d'y passer tout entier ? « *In dubiis libertas* », soit. Hé bien, ils préfèrent ne pas user de cette liberté, ils vous la rendent : « Mon cher enfant, je tiens à vous prévenir que je ne vous la demandais pas. » — « Bon, bon, n'importe, prenez-la quand même, nous n'y tenons guère, c'est de bon cœur. Notre commerce nous absorbe, et qui diable peut aujourd'hui comprendre un mot de la politique ? Nous sommes pour les bons contre les mauvais, à condition de vendre aux uns comme aux autres, bien entendu. » — « Très bien, mes enfants, vos légitimes intérêts sauvegardés, ainsi que ceux de votre chère famille, il est beau de vous voir aussi indifférents aux choses de ce monde, aussi confiants dans vos pasteurs. Si vos prêtres jouissaient du prestige qu'ils méritent, la loi de l'Evangile serait obéie. Et si la loi de l'Evangile était obéie, la question sociale, par exemple, serait résolue du même coup. Voilà de quoi fermer la bouche aux marxistes, et vous mettre au premier rang des réformateurs sociaux. »

Je répète que la docilité de votre troupeau restera irréprochable, aussi longtemps que vous lui demanderez le sacrifice à priori d'opinions qu'il se garde bien de se former sur des sujets pour lui sans importance. Etre pour ou contre Franco, pour ou contre les Juifs ! qu'importe ! qu'importe! Mais s'il paraissait un jour à vos innocents que la sécurité de leur bourse ou de leur personne se trouve liée au triomphe d'un système ou d'un homme, j'ose vous prédire des déceptions très cuisantes. Je crois qu'il y a une question juive, je crois au péril que la nation juive, l'esprit juif, le génie juif, admirablement défini par Bernard Lazare et Péguy, font courir à la défaillante chrétienté. Mais j'aimerais mieux être fouetté par le rabbin d'Alger que faire souffrir une femme ou un enfant juif. Si les agneaux de vos associations catholiques se mettent un jour à redouter le Juif, non pour la Chrétienté, mais pour eux-mêmes, vous m'en direz des nouvelles, bon Père. Vous les verrez manger du Juif et de la Juive, comme en Espagne, ils mangent du Rouge, et si vous leur parlez de racisme, ils répondront la bouche pleine : « Tout cela, c'est de la philosophie. L'épuration faite, nous en reparlerons. Mort aux Juifs! » Et mon Dieu, voulez-vous que je vous dise, vous finirez par trouver un arrangement, un compromis. Car, de vous à moi, ces Juifs... De l'Ebre au Guadalquivir, en avons-nous brûlé ensemble, quand même, jadis, dans les temps !...

Si cette ironie vous fait mal, tant pis. Elle vous fait moins mal qu'à moi. Je ressens tous les coups que je vous porte, je ne vous atteins qu'à travers ma propre chair, ou plutôt c'est à vous que je me déchire, je me trouve dans le scandale comme dans un buisson d'épines et chaque effort que je fais pour me délivrer m'arrache la peau. Que j'avance ou recule, la souffrance est la même, j'ai pris le parti de foncer en avant, d'avancer, je me jette en avant, Dieu me garde ! Que vous me croyiez ou non, cela n'importe guère. Je ne suis absolument rien dans tout ceci, rien ne peut m'atteindre ; ce n'est pas moi que vous avez devant vous, c'est le scandale que vous m'avez donné. Certes, je ne me flatte pas de porter à l'Eglise plus d'amour que vous. Je l'aime douloureusement, voilà la vérité, je l'aime comme la douloureuse vie elle-même, je l'accepte telle quelle, telle quelle je tâche de l'accepter, et il me semble qu'au terme de cette acceptation, si du moins j'en étais jamais digne, je recevrais mon humble part dans l'immense effort de son ascension.

Il vous est facile de me répondre : « Occupez-vous de vos fautes et non des nôtres. » Mais vos fautes sont aussi les miennes. Ou l'universelle communion des vivants et des morts n'est qu'une image, un symbole, ou ce que je viens d'écrire est vrai, simplement vrai — je m'excuse de ne pas trouver, pour le dire, des mots plus simples et plus purs. Je crains que ceux-ci ne vous atteignent pas, ne touchent pas votre cœur, car il vous paraît difficile d'imaginer qu'un pauvre homme, et qui n'est même pas marguillier de sa paroisse, puisse souffrir de certaines contradictions, en souffrir matériellement, corporellement, charnellement, comme de la maladie d'un être cher, ou de la perte d'un ami. Vous croyez sans doute qu'une telle souffrance s'apaise comme une objection se résout, qu'il n'en coûte qu'une visite au casuiste. Mais voilà : c'est que le casuiste ne peut précisément rien pour nous. J'ai vu à Majorque la face du crime et cette rencontre inattendue ne m'a pas donné le moindre doute contre la foi, aucun doute contre la foi ne me viendra jamais de vous, ne me donne pas qui veut des doutes contre la foi. Je n'ai jamais cru la foi catholique solidaire des agissements de l'Evêque-Archevêque de Majorque, président honoraire du Régime d'Epuration. Ma foi catholique est entre les mains de Dieu, et comme je ne mérite nullement ce don, mon timide espoir est seulement qu'il ne me soit pas retiré. C'est dans la plénitude de ma foi que je vous fais face, sans aucune forfanterie, je le jure, mais par nécessité. Je souhaite à mon livre de durer aussi longtemps que durera le scandale venu de vous — pas une minute de plus. Dieu fasse que soit effacée dès demain la tache faite à notre honneur ! Aussi longtemps qu'un seul homme de bon sens et de bonne foi pourra nous dire complices des assassins, je ne me tairai pas. J'ai confiance que le temps et les moyens me seront donnés de publier l'histoire de la Terreur à Majorque. Je préférerais mille fois que vous décidiez vous-mêmes des enquêtes et des sanctions. Mais tant que vous n'enquêterez ni ne sanctionnerez, je tiendrai mon rôle de témoin.

Le R. P. Cordovani peut trouver ces dispositions morbides, il ne dépend de lui ni de personne de me contraindre à servir l'Eglise comme un parti, car l'Eglise n'est pas un parti. Lorsque je crois que l'Eglise a toujours raison, je ne l'entends pas dans le même sens que les fascistes qui écrivent sur les murs que le Duce a toujours raison. Le ciment qui lie entre eux les partisans d'un Parti est la haine et non l'amour. Je me jugerais le dernier des lâches si j'agissais de telle manière qu'on pût raisonnablement croire que l'Eglise est un parti, qu'un chrétien seulement coupable de demander une enquête sur des crimes patents puisse être chassé de l'Eglise comme serait aujourd'hui chassé d'Allemagne n'importe quel Allemand assez courageux pour dénoncer publiquement les horreurs des camps de concentration. Aucun homme de parti n'oserait écrire ce que j'écris. L'homme chrétien n'est donc pas l'homme d'un parti. Peut-être suis-je mieux informé que certains prélats romains des affaires d'Espagne. L'Espagne ne sera pas demain au cardinal Goma. L'Espagne se donnera demain au premier chef venu, phalangiste ou non, qui fera l'enquête que je vous demande de faire, collera au mur tous les chefs assassins, de droite ou de gauche, à l'applaudissement de la nation. Je ne crois pas que ce jour-là sera pour l'Eglise un beau jour.

Il apparaît bien désormais que la doctrine capitaliste n'est pas plus de droite que de gauche. Elle est la justification d'esprit, modéré-radical, des empiètements et rapines de la bourgeoisie du XIXe siècle, qui disposant à bas prix, grâce à l'effondrement de l'Ancien Régime, d'un énorme matériel humain, put confisquer à son profit l'effort de l'ingénieur et du savant. La doctrine capitaliste ne se soutient plus. Mais l'espèce de société qu'elle définit s'efforce de lui survivre sous un autre nom — quel que soit d'ailleurs ce nom, car le seul qu'elle mérite et ne puisse se donner est celui de basse-ploutocratie — la Basse-Ploutocratie comme on dit le Bas-Empire. Bénéficiant encore de l'état de fait, il ne lui est pas difficile de se réclamer de l'Ordre, de la Propriété, de l'Eglise même, auprès de chrétiens dégénérés, dont la vie privée peut être irréprochable, mais dont la conception de l'autorité est généralement celle d'un honnête adjudant retraité de gendarmerie. Où qu'il entende crier : au feu ! fût-ce par l'incendiaire lui-même, tout bien-pensant se découvre une âme de pompier. Qu'importe si, casqué en hâte, tout essoufflé, on lui met finalement entre les mains une mitrailleuse au lieu d'une pompe. Hé bien ! Excellences, je le déclare, en deux mots comme en cent : Nous ne voulons pas que la Société matérialiste moribonde recrute chez nous ses mercenaires.

La politique du Moindre-Mal est une politique comme une autre. Du moins prolonge-t-elle d'un siècle ou deux la vie des nations déchues. Mais tout le monde, il me semble, peut s'accorder sur un point : l'esprit de cette politique ne forme ni les consciences ni les caractères. A chaque nouvelle crise, les troupes de l'Action catholique s'assemblent, marquent le pas sous la pluie, jusqu'à l'heure où l'on apporte enfin M. le général de Castelnau. A la vue de ce chef aimé, le respect, la compassion, une tendre sollicitude ferment les lèvres des vieux militants, mais la chère et brillante jeunesse échappe au contrôle indulgent des bons Pères qui se laissent emporter, souriants, par le flot déchaîné. De toutes ces bouches juvéniles la même interrogation jaillit, anxieuse, vers le guerrier vénérable, les Cardinaux adorés : « Quel est le Moindre Mal ? »

Je crois l'Eglise aussi capable qu'en aucun temps de donner des saints. Si je ne le croyais pas, je ne serais plus catholique. Je crois en outre les gens d'Eglise capables de former des chrétiens moyens, parmi lesquels on rencontre une élite d'hommes intérieurs, évidemment dignes de respect. Je dis que le moderne chrétien moyen n'est pas un type social très défini. Je crains qu'il n'appartienne au psychologue, au moraliste, à qui vous voudrez, sauf à l'histoire, que sa place dans l'histoire soit nulle. L'instruction religieuse a pu lui donner un certain nombre des qualités du citoyen, mais il n'est pas ce qu'on appelait jadis un citoyen. Le chrétien moyen n'est pas l'Homme chrétien bien qu'il puisse le devenir. Et nous avons même le droit de nous demander s'il n'aura pas plus de mal à le devenir qu'un autre, qu'un homme droit et de bonne volonté, un homme tout neuf. En parlant ainsi, j'espère ne pas manquer de respect aux instructeurs ecclésiastiques. Le chrétien de l'ancienne chrétienté n'était pas seulement de formation cléricale, il naissait dans un milieu très complexe, dont les traditions, d'origine diverse, s'imbriquaient très étroitement les unes dans les autres ou mieux encore, — car ces traditions étaient elles-mêmes vivantes, aussi vivantes que lui — réagissaient entre elles avant de ne former qu'un tout. Un tout si parfaitement homogène qu'il le croyait simple, qu'il y accordait simplement sa vie simple, capable de résoudre une à une, sans les identifier ni les reconnaître comme telles, des contradictions qui nous paraissent aujourd'hui irréductibles, parce que nous les considérons de l'extérieur, que nous ne les vivons pas.

C'est cet homme-là qui s'imposait au monde par une espèce de dignité, de solidité, qu'aucune leçon ne saurait donner. C'est cet homme-là que vous avez perdu. Ou vous le retrouverez, ou vous n'aurez de plus en plus, qu'à gouverner des communautés, des congrégations, des confréries, des îlots de chrétienté. C'en sera décidément fini de la Chrétienté.

Je m'excuse de parler si souvent de l'honneur. Je n'ai pas plus d'honneur qu'un autre, je n'enseigne l'honneur à personne. Bien mieux, je sais la fragilité du concept de l'honneur, son ambiguïté profonde. C'est précisément pourquoi j'estime irréparable la perte ou l'obscurcissement de l'honneur chrétien, cette réussite inouïe, ce miracle, qu'on ne recommencera pas deux fois. Il y a toujours d'excellentes raisons contre l'honneur, les raisons de l'honneur, à la lettre, ne tiennent pas debout. A l'heure du dicktat de Munich quatre collaborateurs d' « Esprit » dont il serait préférable de ne pas prononcer le nom devant une femme grosse, de peur qu'elle n'accouche d'un lâche, MM. de Gandilhac, Labrousse, Moré et Serampuy, après avoir refusé nettement leur adhésion à l'attitude courageuse prise par la Revue, éprouvaient encore le besoin d'écrire cinq pages pesantes destinées à justifier ce qu'ils appelaient dans leur impayable langage « le repli sur des positions modestes ». Cinq pages contre l'honneur, c'est trop. Une ligne eût suffi. Les raisons de l'honneur ne tiennent pas debout et quand il les donne, il prête à rire, car elles apportent seulement la preuve qu'il doute de lui : « Le sens de l'honneur est une grâce, écrivait dans le même numéro d' « Esprit » M. J.-M. de Semprun Gurrea, et comme toutes les grâces, elle vient d'en haut, bien qu'on puisse travailler pour l'obtenir. » — « Vive la Paix honteuse ! » s'écriait en septembre M. J. Cocteau. Toutes les parties honteuses sont familières à ce malheureux.

Les raisons de l'honneur ne tiennent pas debout. Mais les peuples ne peuvent pas se passer d'honneur, nous paierons cher d'avoir cru en nous plutôt qu'en lui. Le monde se fera un honneur à son image, et si dégradé qu'il soit, les jeunesses courront derrière en agitant des étendards : « Qu'est-ce qui prend à ce Bernanos, diront sans doute un certain nombre d'Excellences. Si le besoin s'en fait sentir, nous changerons un peu l'orientation de nos programmes de Cercles d'études, nous conseillerons à nos militants, la création d'une ligue Godefroy de Bouillon. L'insigne en sera dessiné par un de nos chers artistes, et se portera au bout d'un ruban de couleur seyante. Les dévoués ligueurs et ligueuses seront autorisés à le porter au cours des réunions privées hebdomadaires et publiquement le grand jour du défilé annuel. » C'est ainsi que, jadis, les bons Pères, pour entretenir notre esprit d'émulation, divisaient notre classe en Romains et Carthaginois.

Les raisons de l'honneur sont vaines. Les raisons de l'honneur ne tiennent pas debout. Ce sont les hommes qui se tiennent debout à leur place. Voilà pourquoi vous avez tant à craindre des Faux Honneurs, car ils ne seront jamais tout à fait de faux honneurs aussi longtemps que des hommes se lèveront pour eux. Restaurer l'honneur chrétien n'est qu'un mot, après tout, vide de sens, car l'honneur chrétien n'est pas une doctrine, un système, une philosophie, ou même une mystique — la mystique de l'honneur n'est déjà plus l'honneur. Il vous faut d'abord refaire l'Homme Chrétien. Je crains que vous n'ayez déjà plus que des Fidèles.

Une telle distinction ne devrait pas vous paraître si surprenante. Car vous sentez, vous aussi, ce regret obscur, cette nostalgie de l'honneur chrétien. Je me refuse encore à croire que le seul opportunisme vous ait jeté dans les bras du général Franco. Allons donc ! Je défie qu'on trouve, depuis un demi-siècle, dans tous les discours, homélies, mandements, oraisons funèbres, le moindre encouragement à la violence, la plus timide justification de la violence. D'où vient donc que vous ayez accepté d'emblée, avec une ardeur de néophytes, un enthousiasme téméraire, non seulement la violence mais le principe de la cruauté nécessaire, passé ainsi d'un seul coup du pacifisme aux thèses les plus cyniques de la guerre totale et presque de Tolstoï à Bernhardi ? En somme vous étiez un peu las de vos Fidèles et de leurs Croisades d'Indulgence, vos fidèles vous semblaient, à la longue, un peu fades... Faute d'habitude, délaissant le manuel du « Petit Chrétien », vous avez pris un roman policier pour un roman de chevalerie, et la première page lue, vous êtes allés jusqu'au bout.

Je n'ironise nullement. S. E. le cardinal Baudrillart lui-même, entre deux séances du Dictionnaire, doit reconnaître parfois que l'Eglise, qui ne manquera jamais de saints, ni de martyrs, manque d'hommes : « Il va voir, disait un jour le vieux Primo de Rivera sur le seuil du Cabinet Royal, il va voir ce que c'est qu'un homme entier ! » Même S. E. le cardinal Baudrillart doit trouver que l'Eglise n'a plus son compte d'hommes entiers. Il serait d'ailleurs injuste de rendre les gens d'Eglise responsables d'une si regrettable carence. Ce n'est pas aux gens d'Eglise qu'il appartient de faire des hommes entiers, le père et la mère doivent y suffire, et avec eux tous les aïeux. L'Eglise donne son miel à n'importe lequel d'entre nous et sous la forme qui convient à chacun. Le Seigneur est venu pour le criminel, il est venu aussi pour le lâche. Mais pour que le lâche puisse encore espérer sous vos ailes — *sub pennis ejus sperabis* — il faut que l'équilibre de la justice soit rétabli, il faut que la société humaine ait d'abord déshonoré le lâche. Car le lâche honoré n'est qu'un monstre. Au lieu que le lâche déshonoré entre tout nu dans le royaume de la charité du Christ, pauvre parmi les Pauvres, et il n'est pas alors un chrétien né de mère française qui, ayant fait le signe de Croix et ravalé courageusement sa salive, ne soit prêt à ouvrir à ce misérable deux bras fraternels.

La société que vous laissez se former, que vous nous invitez même parfois à défendre, la société réaliste en un mot, à l'esprit de laquelle vous prétendez accorder votre politique, ne disposera bientôt plus d'assez d'honneur pour avoir seulement de quoi déshonorer le lâche. Dans le lâche, elle ne voit dès maintenant que le vaincu, et c'est pourquoi, sans doute, elle extermine si allègrement les vaincus, braves ou lâches. Cette terrible simplification, visiblement, vous hante. Il est déjà pour vous, comme en Espagne, des exterminations opportunes. J'ai déjà dit que la question sociale ne se résoudra que par la force ou par l'honneur, que la première solution est plus tentante que l'autre. Il n'est besoin que d'un court dressage pour faire un fanatique, au lieu que l'élaboration d'un type humain comparable à celui de l'ancien chevalier français reste le travail des siècles. Dans un de ses derniers numéros, *Temps Présent* reproduisait avec dévotion les principaux passages des Encycliques dites sociales. Le respect que je sens pour les Encycliques ne saurait me retenir de mépriser l'exploitation publicitaire, à grand roulement de rhétorique, des vérités si simples, élémentaires, qu'elles définissent. N'importe ! Un mois de travail peut suffire à la rédaction d'une encyclique où se trouvent condamnées, au nom de l'Evangile, des injustices éclatantes, que d'ailleurs réprouvent aussi la morale et même le bon sens. Il faut des siècles pour former une société où l'abus de la force déshonore, et des hommes non seulement capables d'éviter ce crime, mais assez virils pour ne pas le permettre, ou le tolérant par une nécessité supérieure, ne pas s'y résigner par habitude, refuser d'y plier leur fierté.

Je ne crois pas offenser les ecclésiastiques en répétant qu'ils ne sauraient créer à eux seuls ce type social. Je ne souhaite même pas qu'ils le créent aussi longtemps que n'existera pas une société capable de l'encadrer. Les disciplines de l'Eglise ne peuvent suffire par exemple à former le chevalier chrétien, et si elles le formaient par miracle, elles tireraient sans doute médiocrement parti d'un animal humain si vigoureux. On n'a jamais entendu dire que les papes d'Avignon enfourchaient des étalons barbes, ils montaient des mules marchant l'amble, ou, comme nous disions jadis, le tracquenard. Quel que soit l'état misérable de son troupeau, la maternelle Aïeule ne saurait lui faire courir, avec elle, le risque d'une trop grande aventure humaine. Si les Barbares n'avaient passé le Rhin, elle eût été bien forcée de proportionner son action aux faibles forces de la Société Gallo-Romaine pourrissante, que les schismes eussent probablement fini par déchirer, comme Byzance. L'Eglise n'est pas une maîtresse d'honneur, elle est une maîtresse de charité. Il y aurait trop d'injustice à la rendre responsable de la médiocrité des chrétiens moyens auxquels elle ne se lasse pas de proposer le seul Absolu dont elle ait la garde, sans néanmoins le leur imposer.

Mais si nous n'avons aucun droit sur la conscience des Fidèles, il me semble que nous sommes parfaitement libres de les considérer dans leur ensemble, ou juger leur valeur sociale. Combien d'entre eux s'élèvent jusqu'à l'ordre de la charité — je ne dis pas en telle ou telle occasion, en telle ou telle conjoncture intérieure — mais vivent naturellement à ce niveau, ont établi à une telle hauteur l'équilibre de leur vie? La plupart se conforment à votre morale, et je crains même qu'ils ne l'exploitent. Cette morale est profondément humaine, elle justifie donc pleinement l'existence et le labeur des casuistes. Je remarque seulement qu'à mesure que s'affaiblit l'honneur chrétien, le casuiste abonde et surabonde. L'homme d'honneur présente du moins pour vous cet avantage qu'il épargne le travail au casuiste. Ce n'est pas le cas de conscience qui se pose au chrétien moyen, c'est le chrétien qui le pose, dans l'espoir qu'on lui trouvera le lieu, la formule. Qu'il use de ce droit, si c'est là un droit, que m'importe ? Je me contente de mesurer la valeur sociale, par exemple, de ces personnages que M. Mauriac nous fait apparaître sous vingt noms, et dont son douloureux génie fait chaque fois un être nouveau. Je trouve cette valeur nulle. La femme naturellement chaste par tradition d'honneur et de dignité, a probablement moins de mérites qu'une autre, mais sa valeur sociale est bien au-dessus de ses mérites. L'obsédé de la luxure peut gagner le ciel au prix d'une existence réellement crucifiée au niveau de l'égout, mais n'eût-il commis aucune faute grave, cette créature absorbée en elle-même n'a aucune valeur sociale. Quiconque éprouve une seule fois le besoin d'apprendre des casuistes à partir de quelle somme d'argent — considérée la dévaluation des monnaies — un vol est réputé péché mortel, même s'il s'abstient de voler, sa valeur sociale est nulle. Le vieux paysan qui, ne pouvant acquitter une dette de dix écus, refusait de survivre à sa honte, avait certainement tort de se pendre, mais si son suicide était un scandale pour la paroisse, il est permis de croire que sa vie en avait été l'exemple. Dieu l'a jugé.

Je n'ai rien à objecter aux définitions théologiques du pouvoir légitime, je pense seulement qu'il serait superflu de tenter faire ou refaire un grand peuple avec des gaillards qui servent leur maître en attendant que les circonstances leur en donnent un autre, bien décidés par avance à lâcher le premier, dès qu'ils en auront obtenu l'autorisation de leur confesseur. De tels paroissiens ne font pas une Patrie. Encore une fois je me demande ce que les gens d'Eglise pourraient opposer à des raisonnements dont le réalisme même n'est pas exclu ? En luttant jusqu'au bout pour un maître légitime, qu'est-ce que je risque ? Les gens d'Eglise ne voudraient tout de même pas m'excommunier parce que je reste fidèle à mon maître dans le malheur, et si ce maître finit par l'emporter, avouez que les bénédictions ne lui manqueront pas, il ne refusera pas d'en laisser une petite part à son modeste serviteur. C'est ainsi que le réalisme pose des problèmes assez coriaces aux canailles, mais la face qu'il tourne vers les hommes simples, décidés à agir selon leur conscience, est toujours un peu naïve, et même comique, vous ne trouvez pas ? Le plus expert réaliste du monde serait roulé par un petit enfant qui le regarderait droit dans les yeux. C'est bien pourquoi S. S. Pie XII a fait sagement d'élire

Sœur Thérèse pour protectrice. Chère petite sœur! Elle aura beaucoup de travail.

Les gens d'Eglise n'ont jamais eu, je pense, la prétention de former à eux seuls le citoyen, pas plus que le militaire ou le savant. Les préceptes de l'Eglise concernant le mariage sont excellents, mais il est clair que leur observation ne saurait suffire à résoudre les difficultés humaines d'un tel état, qu'on peut être bon chrétien moyen, et cocu. J'ajoute que la politique du moindre mal, en ménage, conduit souvent à cette catastrophe. C'est très joli aussi de mettre sur le papier des programmes sociaux. Mais il importe de savoir quelle sorte d'hommes vous mettrez dedans. Condamner la lutte des classes n'est qu'un jeu. Rêver d'y mettre fin par l'accord des modérés de l'un et de l'autre parti est puéril. Les modérés finiront toujours par retomber sous la domination des personnalités fortes, ce sont celles-là qui doivent un jour traiter entre elles, et les traités signés ne vaudront pas un liard, si l'honneur ne les sanctionne. Quand votre politique est réaliste, pourquoi voulez-vous que la politique ouvrière ne le soit pas ? La simple honnêteté devrait défendre d'arbitrer des accords, lorsqu'on est bien décidé de ne pas arbitrer les conflits. Si demain le prolétariat tout entier, devenu jociste, respectait consciencieusement vos programmes, et qu'une dictature confisquât ses libertés légitimes — ne parlons pas de cœur déchiré, voulez-vous ? Oui, ou non, traiteriez-vous, pour votre compte, avec ce nouveau régime de fait ? Tout est là. Il est vain de prôner la paix, lorsqu'on couronne toujours les vainqueurs.

Nous demandons à l'Eglise d'entretenir dans le monde assez d'esprit chrétien pour que la Chrétienté reste possible. Mais l'immense service qu'elle rend ainsi au genre humain ne saurait être mesuré par les peuples, aussi longtemps que la Chrétienté n'est pas faite. — « Hé bien ! quoi, il nous embête, avec sa Chrétienté ! » Je sais bien. J'ai fait un rêve impossible, un rêve absurde. Alors qu'il est difficile de se faire enterrer ou marier pour rien, j'ai fait ce rêve de mettre à la portée de tout le monde l'honneur chrétien.

Dans l'amertume des dernières heures, Edouard Drumond accusait l'Eglise, fondée par les pauvres, d'être devenue l'Eglise des riches. Je ne l'écrirai pas après lui — oh ! nullement pour la raison que vous imaginez, Excellences — mais parce que je ne le pense pas. Si je le pensais, je l'écrirais ici, sur-le-champ, de cette plume. Et du moins puis-je dire dès aujourd'hui que la vie moderne tend de plus en plus à faire de l'honneur une sorte de snobisme, d'affectation anachronique, réservée aux initiés, une élégance gratuite, un raffinement de manières non moins étranger au pauvre monde que l'usage du rince-bouche ou du baise-main. Le mot de « dette d'honneur » n'appartient-il pas déjà en propre au clubman imbécile qui vient de prendre une culotte au cercle?

Il y avait un honneur du métier, mais il n'y a plus de métier. Un honneur de la besogne bien faite, et la machine l'a gobé d'une bouchée. Un honneur familial, et les conditions économiques, si elles ne condamnent pas encore le pauvre au célibat, le privent des moyens matériels d'exercer les prérogatives familiales avec dignité. — Oh ! je sais parfaitement l'espèce de réhabilitation que vous proposez au malheureux. Qu'il s'honore par l'obéissance et la résignation, dites-vous. Je vous comprends bien : qu'il s'honore en se résignant au déshonneur. Est-ce que nous sommes à Charenton ?

Je voudrais qu'on mît l'honneur à la portée de tout le monde. A prendre charitablement vos raisons, non dans la lettre absurde, mais dans leur esprit, je prétends qu'un homme sur cent mille est capable de ce retournement paradoxal, ou plutôt s'y trouve appelé par vocation. Pour faire son salut dans le déshonneur, il faut être un saint. Le prêchez-vous assez, le caractère exceptionnel des vocations héroïques ! Or, mon pays n'est pas peuplé d'exceptions, mais de citoyens. Ils ont besoin de ce que vous supportez qu'on leur refuse, ils le chercheront n'importe où. Si tant de braves gens sont aujourd'hui nazistes, fascistes, ou communistes, c'est qu'ils n'ont pu résister à la voix tentatrice, ils avaient trop soif. « Donne-moi tout, murmurait le Parti, et je te rends l'honneur. » Alors ils ont tout donné joyeusement, ils ont donné jusqu'à leur âme.

J'ai fait ce rêve idiot de mettre l'honneur à la portée de tout le monde. Et c'est précisément le déshonneur que vous laissez à la portée de chacun. La politique réaliste offre aux malheureux ce scandale permanent de l'exploitation savante, éhontée, de toutes les formes du mensonge, par les élites. Non seulement nous avons permis que le pauvre fût dépouillé de son honneur personnel, nous n'avons même pas su exiger qu'on lui laissât du moins l'usage d'un honneur collectif. Les Etats et les Régimes, dictatures ou démocraties, apparaissent tous ce qu'ils sont : des syndicats de filous. Puisque l'Eglise elle-même, au nom d'intérêts supérieurs dont je ne suis pas juge, ne saurait se dispenser de ménager ces filous, c'est à la Monarchie chrétienne française que je demanderai de parler le langage de la Chrétienté.

Ces derniers mots ont un sens pour moi très précis. Ce n'est pas ma faute si l'abus qu'on en a fait prête à des malentendus poétiques ou sentimentaux. Je n'oppose nullement, cela va sans dire, à la Parole de l'Eglise universelle, le modeste langage de la Chrétienté. Si j'éprouve du dégoût pour certains aspects de l'opportunisme ecclésiastique, je ne puis ignorer sa signification profonde. L'égoïsme des hommes ne saurait nous fermer les yeux sur le caractère sacré de l'égoïsme transcendant qu'il exploite, ou dont il se couvre. L'Eglise a un dépôt, elle le garde. Elle porte cette Vérité en elle comme une femme grosse son enfant, et ce fruit précieux tire à lui tout le sang, toutes les forces du corps maternel, aussi longtemps que sa maturation ne sera pas achevée, que se fera attendre l'avènement du Royaume de Dieu. Il n'est rien de noble et de grand dans le monde qu'elle ne soit prête à sacrifier dès qu'il s'agit d'épargner un risque à ce qu'elle porte dans ses flancs. Il n'est pas d'engagement qu'elle ne puisse rompre, pas d'ami qu'elle ne puisse abandonner ou renier pour la sécurité du fruit de ses entrailles, car ce fruit perdu, tout est perdu, et si elle le donne à l'éternité, tout sera rétabli d'un seul coup. Aucune injustice n'est surnaturellement irréparable, si le principe de Justice est sauf. Et si le principe de Justice est aboli, tout n'est plus qu'injustice et désordre.

Je sais tout cela. Je le savais à dix ans, comme mes camarades du catéchisme, je n'ai rien appris de plus sur le sujet depuis ces temps lointains. Mais puisque les gens d'Eglise savent cela comme moi, m'accorderont-ils que, bénéficiant d'une si colossale exception de jeu, il leur est difficile d'intervenir dans les rudes batailles d'homme où il n'est guère d'autre loi possible que le respect de la parole donnée, coûte que coûte ? Et par exemple, vous condamnez la lutte des classes. Je la condamne avec vous, je remarque néanmoins qu'elle existe et que vous ne disposez d'aucun moyen efficace d'y mettre fin sur-le-champ. Or, je vous le demande : ouvriers ou patrons, peuvent-ils compter sur les hommes que vous contrôlez étroitement, oui ou non ? Après avoir mis les gens debout, au nom d'une cause juste, d'une revendication légitime, vous réservez-vous de les désarmer brusquement au nom de la discipline, si l'oppresseur vous semble un jour assez fort pour que vous croyiez utile de traiter avec lui ? Les jocistes français ont, je pense, le droit d'être antifascistes, comme beaucoup de jeunes prêtres qui les dirigent. Mais si la révolution fasciste triomphe, et que vous signiez avec elle un concordat, devront-ils abandonner leurs camarades, les regarder tranquillement fusiller, comme en Espagne ? Refuser le combat est le devoir de l'estafette qui porte un pli important. C'est aussi le devoir des gens d'Eglise, et pour la même raison. Mais s'il est vrai qu'un chrétien du siècle ne saurait se désintéresser du temporel, n'est nullement tenu à cette démission du temporel qui honore un Chartreux ou un Trappiste précisément parce que la vie qu'il mène éloigne de lui tout soupçon de lâcheté, n'avons-nous pas le droit d'observer qu'aucune réforme politique ou sociale ne peut être menée du premier coup à son terme, que l'homme d'action doit prévoir les revers, que le dernier mot, en toute aventure, est à celui qui tient, tient le plus longtemps et parfois espère contre toute espérance ?

La parole d'honneur d'un chrétien, en tout ce qui ne concerne point sa fidélité au dogme ou à la morale, vaut-elle en elle-même, voilà ce que je demande ? Lui appartient-elle, ou aux gens d'Eglise ? Lorsque la Revue *Sept* assurait jadis glorieusement à ses lecteurs qu'elle donnerait un témoignage sincère, les malheureux abonnés pouvaient-ils prévoir qu'elle cesserait de parler dès que ce témoignage paraîtrait, en haut lieu, non pas condamnable, certes, mais inopportun ? Faire appel à des écrivains laïques, afin de bénéficier du crédit accordé généralement par le public aux Journaux d'opinion, et n'être réellement qu'une feuille analogue à n'importe quel bulletin diocésain, je dis que ce n'est pas là une besogne d'honnête homme. Je ne trouverais pas déshonorant de signer le moniteur de la Nonciature, pourvu qu'il portât son vrai nom. J'admets volontiers que les inspirateurs de *Sept* aient obéi aux ordres de leurs chefs. Mais la preuve que cette obéissance, eu égard aux engagements pris envers le public, paraissait aux supérieurs eux-mêmes, capable de fournir un prétexte à ce que j'appellerai, par charité, des difficultés d'interprétation, c'est que loin de proposer cette obéissance en exemple, ils l'aient dissimulée sous un mensonge. Les directeurs de *Sept* ont, en effet, reçu l'ordre de déclarer, contre la vérité, que leur Revue disparaissait faute de disposer des fonds nécessaires... Hélas ! il n'est pas d'opportunisme sans mensonge opportun.

Qu'avons-nous à répondre, je le demande, à ceux qui prennent notre parole exactement comme nous la donnons, c'est-à-dire sous condition ? Nous nous tirions d'affaire, jadis, en nous proclamant hommes de paix. Nous exécutions fidèlement nos engagements, aussi longtemps que la violence n'intervenait pas, disions-nous, car nous étions ennemis de toute violence. Notre horreur de la violence expliquait, justifiait, nos manquements. Soit. Le scandale de la guerre d'Espagne n'a pas laissé debout cet argument. On le retrouvera sous la terre, quelque part, du côté de Guernica.

J'ai fait ce rêve stupide que l'honneur fut un jour à la portée de tout le monde. Qu'un enfant chrétien puisse naître avec une parole d'honneur, comme il naît avec son sexe, et qu'on lui laissât l'usage de l'un et de l'autre, jusqu'à la fin de sa pauvre vie, selon toutefois les commandements de Dieu et de l'Eglise — est-ce trop demander, Excellences ? Est-ce trop demander que la parole d'honneur soit l'attribut inséparable de celui de virilité, et qu'on ne s'exposât à le perdre qu'en devenant castrat ? Un eunuque peut faire son salut à l'égal de n'importe qui, et cependant vous refusez de l'ordonner. Qu'est-ce à dire sinon qu'un fidèle ne réalise pas toujours les conditions nécessaires pour être un Homme Chrétien ? Vous ne demandez d'ailleurs à notre indignité aucun service qui puisse approcher, en excellence, du ministère sacerdotal. Vous souhaitez que nous refassions une France chrétienne, et que son rayonnement aide humblement dans le monde à la restauration de l'ordre chrétien. C'est là une besogne temporelle ordonnée à des fins spirituelles et pour la part temporelle d'une telle entreprise nous avons bien le droit de choisir nos hommes. Que chacun d'eux arrive au lieu du rendez-vous avec son sexe entre les jambes et une parole d'honneur qui n'ait encore jamais servi.

Nous ne songeons pas à renier ou à mépriser ceux de nos frères qui ne remplissent pas les conditions exigées, nous préférons ne rien attendre d'eux, voilà tout. Etes-vous capable de ne jamais mentir ? Bon. Répondrez-vous toujours par oui ou par non à qui vous interrogera loyalement, ami ou ennemi ? Très bien. Vous sentez-vous assez sûrs pour tenir un engagement légitime, c'est-à-dire qui n'offense ni la foi ni les mœurs, aussi longtemps que vous serez un homme ? Alors, tout va bien. Nous allons reprendre les choses par le bon bout, nous remonterons pas à pas l'histoire de France, jusqu'à ce que nous trouvions un terrain solide, pas trop dur et pas trop mou, élastique, un sol bien éprouvé, où les garçons français aient déjà retroussé leurs manches et craché dans leurs mains. Inutile de nous envoyer les petites salopes, mâles ou femelles, qui assomment leur confesseur pour une mauvaise pensée — consentie ou non consentie — mais trouvent, le cas échéant, tout naturel qu'on achève les blessés, qu'on massacre les prisonniers, qu'on éparpille à coups de bombe, pour la bonne cause, les tripes mêlées de la mère et de l'enfant, alors que la loi de Moïse elle-même interdit de faire bouillir l'agneau dans le lait de la brebis. Inutile de déguiser ces danseuses en soldats, nous les reconnaîtrions rien qu'à l'odeur, et nous vous les renverrions à coups de fouet. Tout ce qui a une fois existé peut renaître. Et puisqu'il existe une chevalerie totalitaire, une fausse chevalerie, pourquoi l'autre ne surgirait-elle pas tout à coup ? Il y a seulement dix ans, qui eut pû imaginer de revoir un jour l'Inquisition ? Je l'ai revue.

Je ne pense pas que Montesquieu fasse auprès de M. Gaxotte, figure de véritable réaliste. C'était tout de même un homme grave. Il a écrit que le sentiment de l'honneur est le ressort des Monarchies. J'écrirai donc modestement après lui que, de tous les régimes, la Monarchie est du moins celui qui court le plus de risques à se déshonorer. Que, d'une manière ou d'une autre, la Barbarie nouvelle enfante une nouvelle Chevalerie, l'idée peut vous paraître drôle. Mon Dieu, la vie ne donne pas tant d'occasions de s'amuser un peu, ne comptez donc pas sur moi pour vous empêcher de rigoler. Mais si j'avouais maintenant mon intention de faire couver à un autre régime que la Monarchie française, à la démocratie chrétienne, par exemple, cet œuf insolite, j'espère que votre hilarité serait sans bornes. Il y a de braves gens parmi les démocrates chrétiens, je pense qu'ils ne refuseraient pas de rire avec nous. Leur démocratie chrétienne s'écrit sur le papier. Une fois réalisée, je ne doute pas qu'elle reprenne son vrai nom de république cléricale, et franchement, j'aimerais mieux crever que vivre là-dedans.

Pour qu'un régime mette l'honneur à la portée de tout le monde, il faut d'abord qu'il ait une parole d'honneur et la Monarchie en a une. La parole de la Monarchie française, que voulez-vous, ce n'est pas rien. Je ne prétends pas que la Monarchie n'y puisse manquer, je dis qu'elle doit assumer toute la honte d'un tel manquement, qu'elle ne saurait partager celle-ci avec personne, qu'il la lui faut consommer tout entière en famille ; car la parole d'honneur d'un Roi de France est celle de sa Maison. Autre chose est de bafouiller devant une assemblée d'actionnaires mécontents, autre chose d'avoir à rougir devant son fils et les fils de ses fils. Autre chose un ministre dégommé, autre chose un roi failli. L'héritier de cent rois peut être un imbécile ou un lâche, mais à chaque bêtise ou à chaque lâcheté qu'il est tenté de commettre, il lui faut bien se dire qu'elles ne seront pas jugées à sa mesure, mais à la mesure de ce qu'il représente, que sa médiocrité ne le sauvera pas de l'histoire. Un ministre imbécile ou lâche se perd dans l'histoire aussi facilement qu'une aiguille dans une botte de foin, au lieu qu'un Roi de France pourrait gratter le sol de ses ongles pendant des siècles avant de réussir à y creuser son trou. C'est une chose terrible pour les rois d'être finalement jugé par les enfants. Les petits enfants se moquent des ministres, mais ils prennent les rois au sérieux, les rois appartiennent à l'univers des enfants — l'univers des enfants où n'entrent jamais les ministres, les banquiers ou même, révérence gardée — les archevêques, à moins qu'ils ne soient des Saints.

Aussi longtemps qu'il vous sera parfaitement égal de voir la France gouvernée par des mufles, pourvu que les « affaires marchent », l'honneur que la Monarchie française apporte à tous, met au service de tous, vous paraîtra superflu. Vous ne retiendrez de ces pages, qu'un souvenir très vague, comme si j'avais proposé la candidature, pour quelque conseil d'administration, d'un comte du Pape, à dix mille lires la pièce. Que voulez-vous ? ce sont de mauvaises habitudes à perdre. Votre mot devant n'importe quoi que l'on dit précieux est toujours : « Qu'est-ce que ça vaut ? » Vous n'en êtes pas encore à vous demander : « Qu'est-ce que je vaux ? » C'est pourquoi vous vous contentez très bien de n'importe quels ministres. Car la Monarchie française fait d'abord appel à votre fierté. Que voulez-vous lui répondre ? Redevenez des hommes fiers et certains biens qui vous paraissent aujourd'hui sans aucun prix reprendront à vos yeux la même valeur qu'ils avaient autrefois pour vos pères.

D'être fier de ses maîtres, allez, c'est quelque chose. C'est même le secret de servir sans s'avilir, d'être un serviteur et non un laquais. Mais ce ne sont pas les peuples qui ont oublié les premiers une vérité d'apparence si simple, si humaine. Vous ne ferez jamais entrer dans la tête d'un intellectuel bourgeois qu'on puisse être autre chose qu'anarchiste ou valet. Lorsque les peuples refusent d'obéir, ils ne se demandent jamais s'ils sont dégoûtés de servir, ou seulement de servir des maîtres qui les dégoûtent. Une telle remarque eût probablement excité la risée vers 1910. Mais qui, vers 1910, prévoyait les dictatures ? Vous n'êtes pas au bout de vos surprises.

Ce sont les gouvernements qui ont cessé d'être fiers les premiers. Les gouvernements se sont mis à parler aux peuples le seul langage qu'ils ne puissent entendre, le langage réaliste, c'est-à-dire bourgeois. Je le dis sans aucune intention de flatterie à l'égard des gens du peuple qui d'ailleurs ne lisent pas mes livres. Tout le monde sait qu'on ne parle pas au peuple comme un notaire aux héritiers du « de cujus », ou un chanoine aux « chers Messieurs ». Un trait de l'esprit bourgeois, par exemple, est qu'il adore l'onction, même dans le cynisme. Il la prend pour la courtoisie. Nous avons connu, hélas, à la guerre des officiers onctueux, une certaine onction militaire. Ne flatte pas le peuple qui veut. Son ironie comme celle de l'enfant est toujours près de la colère ou des larmes, un geste de défense, cette, force de l'instinct que la lecture a chez nous affinée, amenuisée, au point d'en faire une simple élégance de l'esprit. « Quoi, direz-vous, nous ne saurions pas flatter le peuple sans le faire rire, alors qu'il ne rit jamais aux flagorneries des démagogues ! » Excusez-moi. Il s'agit ici du langage que les gouvernements et les élites devraient parler aux peuples, pour les engager dans le sacrifice et la grandeur. Lorsque le démagogue invite les gens à boire joyeusement à sa propre santé le vin d'autrui, je ne pense pas qu'il lui soit nécessaire de prendre l'accent du jeune Condé, jetant sa canne de l'autre côté des retranchements ennemis. Et je me permettrai encore de retenir un moment votre attention sur ce dernir point : tant que vous aurez à plaider la cause de l'intérêt, de l'égoïsme, de la lâcheté, du réalisme enfin, il sera préférable d'ajuster vos arguments et votre ton au public dont vous disposez, ouvrier ou paysan, intellectuel ou bourgeois, clérical ou anticlérical, fasciste ou républicain. Mais le chef qui entraîne ses hommes, le commandant du bâtiment qui coule pavillon haut, parle le langage qui convient exactement à chacun, remplit exactement l'attente de chacun, qu'il soit fils de duc ou charretier. Nul n'a jamais entendu dire qu'il existât une méthode réaliste bourgeoise capable de persuader aux gens d'être magnanimes.

Cela ne doit pas étonner. Ce qu'on appelle

aujourd'hui du nom de bourgeoisie n'a aucune réalité sociale. Il serait inutile qu'un Roi s'efforçât de rallier la Bourgeoisie, car le bourgeois n'est rien. Si réduit que soit le nombre des aristocrates, peut-être a-t-on le droit de dire que l'honneur populaire et l'honneur aristocrate ne se distinguent entre eux que par une traduction différente de sentiments communs, simples et forts. Le clavier de l'honneur aristocrate est plus étendu, sa musique plus savante, mais elle reprend les mêmes thèmes. L'honneur du peuple est comme la mélodie que l'honneur aristocrate accompagne de ses savantes orchestrations, qui ne sont d'ailleurs pas toujours sans défauts. Je n'ai nullement été surpris de l'accueil fait par les intellectuels à « L'équinoxe de septembre » de M. de Montherlant. A l'humiliation de Munich, le plus grand, peut-être, de nos écrivains vivants qui n'expiera que par la mort — je la souhaite lointaine —le prodigieux agacement dont il nous fait parfois payer sa gloire — réagissait en homme du peuple, et les intellectuels ont souffert de cette trahison. Que de lieux communs, pensaient-ils ! Car les intellectuels équivoquant sur le mot, croient les lieux communs vulgaires. Il n'y a plus aujourd'hui d'honneur bourgeois, de forme bourgeoise de l'honneur, pour cette raison très simple qu'il n'y a pas de bourgeoisie. Il n'y a pas plus de bourgeois, au sens propre qu'il n'y a de véritables parisiens, la plupart de ceux qui se donnent ce dernier titre, venant du Languedoc ou de Picardie, de Provence ou d'Auvergne. Il n'y a plus de bourgeois, mais des ouvriers ou des paysans plus ou moins récemment transfuges de leur classe originelle, plus ou moins bacheliers, une masse hétérogène où l'Intellectuel parasite, toute grouillante d'intellectuels.

Les dictateurs viennent de nous apporter les preuves de ce que j'avance. Ils n'ont tenu aucun compte de cette classe artificielle, ils ont, en somme, agi comme si cette classe n'existait pas, ils ont parlé à ces ouvriers ou paysans si récemment déclassés, le langage de leurs pères, ou de leurs grands-pères et ceux-ci l'ont aussitôt reconnu. Si les dictateurs s'effondrent un jour, ce sera pour s'être laissé pourrir par le réalisme intellectuel, pour avoir prétendu doubler, tripler, décupler par le réalisme ce que l'héroïsme leur avait rendu. Le dictateur allemand mourra d'avoir exploité l'honneur allemand, l'honneur du peuple allemand contre l'honneur des autres peuples, dressé l'honneur allemand contre la morale universelle de l'honneur. Une telle distinction est une invention d'intellectuel, un jeu pervers de l'esprit. Elle n'est pas dans la chair et le sang des peuples, non plus d'ailleurs que celle, plus intellectuelle encore, de la morale et de la politique. Lorsqu'on a tout demandé à la chair et au sang de son peuple, il est vain d'outrager sa conscience car la conscience du peuple est aussi sa chair et son sang.

J'ai fait ce rêve que la Monarchie mît un jour l'honneur à la portée de tout le monde et d'abord de chaque français. M. Maurras écrivait le mois dernier, dans le style de sa vieillesse, qu'il « n'aimait » pas qu'on bombardât les gens le Vendredi Saint, mais que la politique, après tout, « n'est pas une érotique ». Si M. Maurras fait profession de ne s'indigner de rien, pourquoi s'indigne-t-il lorsque la république lui rend le service de le mettre à l'ombre ? N'importe. Les actes des gouvernements sont publics et les réactions du public sont rarement celles d'un expert réaliste. Le premier souci des gouvernements devrait être de ne pas exciter le mépris, car on ne gouverne pas contre le mépris. Au point où nous en sommes, si vous ne moralisez pas les gouvernements, il faudra se hâter de démoraliser les peuples. Mais quand vous aurez fini de démoraliser les peuples, il n'y aura plus de gouvernement, il n'y aura plus rien. Les dictatures sont un grand effort manqué des peuples pour échapper au dégoût, à ce désœuvrement de l'âme. Les voilà maintenant gorgés de sacrifice et d'héroïsme, mais la conscience encore plus vide et plus affamée que le ventre. Déjà la mouche intellectuelle bourdonne autour de leur grand songe, y pond ses larves. On peut bien vivre quelque temps sans héroïsme et sans honneur, mais on ne saurait vivre d'un héroïsme sans honneur. Car l'honneur du Parti n'est qu'un honneur tronqué. Il n'est d'honneur que de la personne, de la famille et la Patrie.

La Monarchie française a eu plusieurs siècles la garde de ce triple honneur, ou pour mieux dire, elle l'a incarné. Ce n'est pas moi qui l'affirme. Il est absolument vrai, vrai simplement, vrai comme le pain, que pendant des siècles les français ont pensé là-dessus comme Joinville ou Jeanne d'Arc. Qu'ils aient eu tort, êtes-vous qualifiés pour en décider sans appel ? Etes-vous sûrs d'être encore assez français pour les comprendre? Lorsqu'un professeur, héritier de trois ou quatre générations d'universitaires, dit : « Mon champ, Ma terre, » ces mots peuvent évoquer en lui des images plus riches, plus nuancées qu'ils n'étaient capables d'en éveiller chez ses lointains ancêtres ruraux. Mais ce qu'ils ne susciteront plus, c'est l'espèce de force intérieure que le paysan puisait, presque à son insu, dans ces humbles syllabes, et c'est pourtant cette force qui a défriché les bois, comblé les étangs, fait la France et ses vergers.

Qui incarne en ce monde l'honneur de la personne, de la famille et de la Patrie ? A cette question, du treizième au dix-huitième siècle, n'importe quel Français, pris au hasard, eût répondu: Le Roi et sa Maison. Je prétends que c'est là un fait immense, dont vous devez tenir compte. A qui pensez-vous que nous devions confier aujourd'hui la garde de ce triple honneur ? Aux Académies ? A l'Union des Intérêts Economiques ? Aux Chambres de Commerce ? Aux associations d'Anciens Militaires ? Au Syndicat de la Presse? A qui ? A quoi ? — A personne. Vous voulez donc que le premier chien venu, quelque général ambitieux, quelque Degrelle, quelque Doriot, se lève et dise : « Ce triple honneur, c'est moi » ?

Car l'honneur finit toujours par s'incarner. L'honneur n'est pas une marchandise comme le bon sens, dont le moins qu'on puisse dire est qu'il se présente comme un excellent placement, un placement de père de famille. L'honneur coûte cher, très cher, infiniment cher, et rapporte peu. J'ai déjà dit ailleurs que les raisons pour lesquelles il prétendait se justifier, ne valaient pas grand'chose. D'où vient-il? Où va-t-il? Que veut-il ? A chaque moment, ses serviteurs, sous le regard ironique du Bon Sens, tâtent l'air autour d'eux et se demandent s'ils servent une ombre. Dans ces conditions, il est bien naturel qu'ils s'efforcent de lui trouver une représentation — homme ou du moins Parti — et d'abord qu'ils se reconnaissent entre eux, qu'ils mettent en commun leur foi. Lorsqu'on aimerait mieux crever qu'avoir à rougir d'une faute qui n'est souvent crime qu'à nos yeux, — que le Code et les Tribunaux tolèrent — il faut bien qu'il existe quelque part des hommes devant lesquels on puisse rougir. Je ne prétends pas qu'un véritable homme d'honneur cesse de l'être, pour vivre avec des hommes sans honneur, mais, enfin, il vit mal, il a besoin du suffrage de ses pairs. C'est ce besoin que les bigots appellent dédaigneusement la gloriole comme si la piété de la plupart des Bons Monsieurs était elle-même désintéressée. Vous pouvez tenir l'honneur pour rien. Vous ne pouvez nier que les hommes se rassemblent autour, et c'est ce rassemblement que je vous prie de considérer. Les réalistes ont cru que la société moderne se formerait sur l'intérêt, le profit. Sans doute, ils ne niaient pas l'honneur, ils le tenaient seulement pour la manifestation inoffensive d'un certain instinct secondaire, facile à satisfaire par des titres et des décorations, sans penser une seconde que titres et décorations perdent à la longue toute valeur dans une Société basée sur l'intérêt et le profit.

Bref, ces imbéciles prenaient l'honneur pour un raffinement alors qu'il est un instinct, comme l'amour, que chacun fait l'honneur à sa manière, comme l'amour, et que leur monde bourgeois n'était nullement armé contre le brusque réveil d'un instinct dont il méconnaissait la profondeur et la puissance. Ils calculaient que les hommes d'honneur seraient toujours en petit nombre, ils croyaient, vers 1830, avoir parqué ces survivants d'une race disparue dans les parages du faubourg Saint-Germain, sans prévoir qu'un peu plus loin, de l'autre côté de la Seine, allait s'allumer et flamboyer l'honneur du faubourg Saint-Antoine. Forts de connaître un certain nombre de salonnards, plus ou moins comtes du Pape, de bourgeois gentilshommes, ou de gentilshommes dégradés, enjuivés, d'estradiers de salles d'arme, de chroniqueurs mondains, les philosophes sociaux rassuraient le législateur et le politicien son compère : « Les gens d'honneur reçoivent dès leur enfance une éducation très soignée, qui leur interdit toute violence. Ils ne se commettraient jamais dans la rue avec des policiers. Vous n'avez donc absolument rien à craindre des personnes distinguées qui se contentent d'effleurer du gant la joue de leur adversaire et poussent le scrupule jusqu'à flamber la pointe de leur broche, afin de s'épargner réciproquement le tétanos. » Les philosophes sociaux n'avaient vu nulle part l'autre visage de l'honneur, ils ne croyaient pas que l'homme en blouse pût prendre l'ivresse de l'honneur dans son gros vin. Ils n'ont jamais fait non plus cette remarque que le même instinct religieux qui, perverti ou dévié, produit le personnage inoffensif du maniaque superstitieux avec ses tics et ses phobies, déchaîne aussi les guerres de religion, éclate tout à coup en haines furieuses et paniques. Le réalisme a mis son derrière sur la religion et l'honneur, posé sur ses genoux le coffre-fort capitaliste afin de se donner du poids et c'est pour l'honneur et la religion qu'il craint, ce n'est pas pour son fondement !

J'ai fait ce rêve de mettre l'honneur à la portée de tout le monde. Il est préférable de donner sa part d'honneur à chacun, plutôt que de courir le risque des grandes famines de l'honneur, génératrices de pestes et de choléras. Je veux bien qu'il soit plus rationnel de construire sur le Profit, mais l'expérience condamne votre rationalisme, n'en parlons plus. Les peuples se lèvent et ce n'est pas pour le profit. Les peuples donnent tout et ce n'est pas à M. le Président de la Caisse d'Epargne, c'est à l'homme qu'ils aiment, précisément parce qu'il leur demande tout.

« Mais ils se lasseront de tout donner, ils nous reviendront. » A quoi reviendront-ils ? Je pense qu'ils ne reviendront pas, ils resteront sur place hébétés, vides. Alors la bourgeoisie, tranquillisée, reviendra — elle — à ses passe-temps juridiques. Forte de l'expérience de ses terreurs passées, elle lâchera ici, serrera là, trouvera des textes et des formules. Lorsque je parle de mettre, non l'intérêt de chacun — car la faune des intérêts humains obéit, comme l'autre, à la même loi de concurrence vitale — mais l'honneur et la dignité des Français à la garde d'une famille française, si élevée au-dessus des autres par la confiance et la fidélité de tous qu'il lui est presque impossible de faillir sans déchoir puisque à la hauteur où on l'a mise, tout entière exposée au regard de la nation, sa moindre défaillance est publique, et l'hypocrisie — facile aux assemblées des démocraties — terriblement chanceuse, aléatoire, on dira que je me contente d'assurances très fragiles, comme si les hommes se déshonoraient pour le plaisir. Vous vous déshonorez pour l'argent, pour un titre, pour un siège à l'Académie ou pour une femme qui aime votre argent, vos titres, ou votre siège à l'Académie, plus que vous-mêmes. Je ne soutiens nullement que les Princes soient au-dessus de ces sortes de tentations; elles se présentent rarement à eux, voilà le fait. Vous pouvez d'ailleurs jouer ce jeu dangereux à cent sous la mise et régler vos différences en commun. Au lieu que le Roi tient la banque, et risque de sauter à chaque coup. Enfin, vos assemblées démocrates qui ne sont jamais aimées, ne sont non plus jamais haïes. N'est-ce donc rien d'être, par position, l'homme vers lequel peuvent converger le plus aisément tous les faisceaux de l'amour et de la haine ?

Nous nous efforçons d'utiliser l'expérience

séculaire et universelle de l'animal humain, certains réflexes moraux, des sentiments simples, élémentaires. Tant que vous n'aurez pas inventé une machine à gouverner, une espèce de stabilisateur automatique, c'est mon droit de préférer un pilote à vos mécaniques. Vous parlez sans cesse de contrôler le pouvoir, alors qu'il ne devrait s'agir que de le limiter juste assez pour qu'il pût s'exercer, dans toute l'étendue de son action avec le maximum d'efficacité : « Au bout du compte, je m'en remettrai donc à un homme ? » — « Hé bien, quoi ? désirez-vous être gouverné par les Anges ? » — « Non, mais par la Loi. » Autant dire par les Assemblées qui la votent. Car ce mot de Loi qui parle tant au cœur des bas-latins, n'a malheureusement pas le même sens qu'il s'agisse de la loi de gravitation ou du statut des fonctionnaires. En coûte-t-il autant à une assemblée de se contredire qu'à un roi de se parjurer ? Voilà ce que je demande. Le Roi qui viole l'accord conclu entre lui et la Nation, nos ancêtres l'appelaient Tyran. Il y a peu d'exemples qu'un Tyran soit mort dans son lit. La tyrannie du roi légitime aboutit généralement à sa ruine, du moins à celle de Sa Maison, tandis que la tyrannie des Assemblées aboutit à la ruine de la Nation, car les Assemblées se prolongent indéfiniment, les Assemblées n'en finissent pas de crever, crèvent par morceaux, à l'exemple des animaux inférieurs dont le système nerveux est rudimentaire et qu'on découpe comme une gelée. Pourquoi les Assemblées ne survivraient-elles pas aux Patries ?

Je répète qu'en écrivant ceci, je ne me propose nullement de convaincre. Vous serez encore longtemps dupes de vos préjugés juridiques, de cette idolâtrie du contrat, de la chose écrite, indispensable aux peuples qui ont perdu la foi dans l'homme. Vos grands-papas redoutaient de se laver les pieds plus d'une fois par quinzaine, et si vos corps se sont familiarisés de nouveau avec le soleil, l'averse et le vent, il s'en faut que vous soyez naturistes en politique. Vous ne voulez pas accepter les risques de l'homme, de la vie humaine, vous écartez des solutions qui vous paraissent grossières précisément parce qu'elles sont de celles que la vie apporte à tous les problèmes qu'on lui pose, pour l'ahurissement et le scandale des imbéciles compliqués. Rien n'est plus facile que de battre la vie sur le papier, car la vie ne sait ni lire ni écrire. L'ordre monarchiste chrétien a vécu, vos écritures ne vivent pas, ne vivront jamais, n'ont jamais vécu. Les plus bêtes des intellectuels catholiques, par exemple, rédigeront aisément un programme bien supérieur à celui de l'ordre monarchiste chrétien, qui s'est d'ailleurs peu soucié d'en avoir un. Il a vécu. Ses imperfections crèvent les yeux, non moins que ses erreurs ou ses fautes. Il a fait la France avec des outils grossiers, mais il l'a faite, et vos instruments de précision trop coûteux ne sont même pas fichus de la maintenir debout. Il l'a faite avec des moyens non moins grossiers que ses outils, il a travaillé cette matière rebelle, cette terre sauvage, pleine de landes, de forêts, d'étangs pourris, de repaires d'hommes et de bêtes fauves, sous la perpétuelle menace des guerres, des famines, des pestes, ne disposant que d'un budget dérisoire, sans armée régulière, sans police, et sans routes, pour ne pas parler du télégraphe et du chemin de fer. L'ordre monarchiste chrétien a tenu le coup dans ces conditions impossibles, il a tenu le coup et gagné.

Je crois qu'on n'en finirait pas de chercher l'ordre monarchiste dans les lois, les textes. J'ignore si ces biens valaient grand'chose en eux-mêmes. Je ne suis nullement archiviste, archéologue. Je ne vante pas le passé parce qu'il est le passé. Si le passé n'avait aucune chance de renaître, il ne m'intéresserait guère. On ne peut donner tout son temps à vénérer les morts, ce sont les vivants qu'il faut sauver. Si je pensais que la tradition de l'ordre monarchiste chrétien ne subsiste plus que dans la mémoire d'un petit nombre de privilégiés, je n'insisterais pas : l'air des musées me fait mal et celui des petites chapelles m'écœure. Mais je crois cette tradition encore vivante, bien que méconnaissable, au plus profond de notre peuple, de notre peuple tel que nous le connûmes à la guerre, au feu, sous le feu — non pas au champ, à l'usine. Je crois que cette tradition a trop longtemps formé la conscience de notre peuple pour que celle-ci lui survive. Tout ce qui se fait contre l'une se fait contre l'autre, et c'est sans doute la raison dernière de la condamnation du modernisme maurrassien.

Nous ne sommes pas monarchistes au sens où l'entendait Aristote, qui d'ailleurs penchait pour la république. Il ne serait même pas exact de nous dire partisans de la Monarchie chrétienne française, dont on pourrait conclure quelle nous appartient plus qu'à n'importe quel Français, que nous avons mission de la prêcher et de l'enseigner. Pour aller au fond des choses, l'institution elle-même compterait peu à nos yeux. Ce qui compte d'abord à nos yeux, c'est l'homme que la tradition monarchiste chrétienne a formé. Et si cet homme compte à nos yeux, c'est parce que nous croyons fermement qu'il existe toujours, qu'il vit et respire, souffre et meurt à nos côtés, vit, souffre et meurt sous des noms divers et parfois ennemis dont aucun n'est le sien, souffre et meurt sans se connaître. Il importe d'ailleurs peu de lui rappeler son nom, aussi longtemps que nous n'aurons pas su racheter par le sacrifice et l'exemple les vérités qu'il a perdues. A quoi bon révéler à un pauvre diable de clochard ses origines princières sous les yeux de l'agent goguenard qui l'observe depuis un moment et va le conduire à coups de bottes au prochain commissariat ?

Vous avez perdu le peuple et vous ne revenez à lui que pour le presser de vous sauver, vous et vos argents. Essuyez vos larmes, mouchez votre nez, retournez chercher vos mitrailleuses, je vous aime mieux ainsi. Il est vain de parler aujourd'hui de monarchie à des gens dans les veines desquels coule le sang de vingt générations de braves royalistes français, même s'ils croient naïvement descendre d'une lignée de révoltés perpétuels, plus ou moins bouillis ou pendus au cours des siècles, car la « sainte canaille » n'est qu'un mot excitant, pour intellectuels, il n'y a pas une famille française sur mille qui ait vraiment fait jadis un stage dans la « canaille », mais toutes ont été saintes à un moment donné de l'Histoire de France, saintes et pures — un foyer honorable où le Christ eût pu venir s'asseoir. Il est vain de parler de Monarchie, de gouvernement monarchique, d'institutions monarchistes à des hommes héréditairement confirmés, bien qu'à leur insu, dans l'esprit de la monarchie chrétienne française, tant qu'on n'aura pas brisé — non par des déclarations, des manifestes, mais par l'exemple — toute solidarité de la tradition monarchique chrétienne française avec certains régimes dégénérés, déshonorés, de l'Europe, comme par exemple cet impérialisme judéo-clérical espagnol, écrasé jadis par nos rois, et qui tente de renaître. Si la Monarchie française était un parti, je devrais, par solidarité de parti, céler ce que je pense d'un vieux drôle comme Alphonse XIII, qui, passé en fuyard du trône à la cagnotte, médite de repasser de la cagnotte au trône, avec l'appui des archevêques. Mais la Monarchie chrétienne française n'est pas un parti, c'est une tradition, et il est clair qu'Alphonse XIII n'a plus rien de commun avec la tradition monarchiste française, ni même avec celle de Sa Maison, car s'il n'est pas le premier Bourbon, depuis le connétable, qui ait péché contre la nation, il est certainement le premier de sa race qui se soit conduit comme un lâche. Si nous devions prendre la défense de ce misérable au nom des intérêts généraux du parti monarchiste, il faudrait que ce fût avec les arguments de M. Guéhenno répondant à M. Gide : « Nous sommes des hommes libres, non pas *soumis*, mais *engagés.* » Nous ne sommes pas engagés au parti Monarchiste. Nous ne sommes même pas engagés à la tradition monarchiste française, nous lui sommes fidèles, voilà tout. Il n'est de véritable fidélité que dans la vérité, dans l'honneur. M. Guéhenno peut être dès aujourd'hui un homme libre, tout court, sans engagement, ni soumission, il n'a qu'à se faire chrétien. Si j'ai écrit *Les Grands Cimetières*, c'est que l'Eglise que je sers et moi-même nous ne sommes engagés qu'à Dieu, c'est-à-dire à la Vérité. Rien ne peut nous séparer de Dieu et de l'Eglise, que le mensonge.

Ce qui compte d'abord à nos yeux c'est l'homme que la tradition monarchiste chrétienne a formé. C'est lui qu'il nous faut retrouver coûte que coûte, car nous ne pouvons compter que sur lui. C'est de lui, non de la France, que le monde a besoin, ou plutôt la France, qu'on le veuille ou non, c'est lui. On pourrait souhaiter qu'il n'en fût rien, que l'histoire ait pris jadis un autre cours, mais il est trop tard. Nous n'avons pas le temps de recommencer une France, un homme français.

Pour retrouver l'homme français, il faut d'abord qu'il se retrouve lui-même, et il ne se retrouvera jamais dans le monde que le cynisme exploite. Tout ce que le modernisme maurrassien a fait pour l'institution de la Monarchie, je dis qu'il l'a fait contre l'homme de la Monarchie, et qu'est-ce que l'institution sans l'homme ? Avant de restaurer la fidélité, fournissez-lui d'abord un objet digne d'elle. Aucun esprit réfléchi ne devrait rester indifférent à l'énorme discrédit où sont tombés les Etats réalistes. Vous pouvez obtenir la soumission à des gouvernements de fait, n'oubliez pas qu'on ne saurait être loyal qu'envers un gouvernement légitime, et qu'il n'est encore aujourd'hui de légitimité possible en Europe que celle qui se fonde sur la tradition, si récemment encore unanime de l'homme chrétien, du droit chrétien. Oh ! bien sûr, les petites tantes intellectuelles nationales ou staliniennes, au derrière rouge ou blanc, déclareront ici toutes ensemble que je sacrifie à une chimère, que je ne désire plus pour mon pays que de solennelles obsèques religieuses avec un beau panégyrique du curé de la paroisse, auquel le Nonce du Pape aura d'ailleurs conseillé vivement la prudence, à l'égard du fait accompli. Mais pardon ! Si le traité de Versailles avait été rédigé par Saint Louis, le monde ne s'en porterait que mieux.

On écrit tous les jours que l'histoire recommence. Peut-être recommence-t-elle comme notre système solaire recommence chaque année son cycle, bien qu'emporté d'heure en heure vers un point de l'espace que nous ne connaissons pas. Il n'est nullement indifférent de savoir si Mussolini recommence Auguste ou Tibère, il est plus intéressant encore de savoir s'il les recommence dans les mêmes conditions favorables. La politique de Rome était cynique, mais le peuple de Rome était religieux. Les peuples ignoraient si profondément le cynisme de leurs maîtres qu'ils les croyaient des dieux, les honorant comme tels, prenaient l'Etat lui-même pour un dieu. Maintenant qu'il vous les faut associer bon gré mal gré à vos politiques, dont le moindre avatar est aussitôt porté par la T.S.F. à la connaissance de tous, la question qui se pose est de rendre les peuples non moins cyniques que vous, si vous ne prétendez pas toutefois tenir l'impossible gageure de les convaincre de respecter, aimer ou même honorer des maîtres déshonorés. Je dis qu'une telle question ne s'était encore jamais posée. Le monde antique a divinisé ses maîtres. La chrétienté chevaleresque a inventé le seigneur légitime, le suzerain, le roi consacré de Sainte Jeanne d'Arc. Que reste-t-il désormais à l'Etat Moderne ? Lorsqu'il veut s'assurer les consciences, quel titre peut-il fournir aux citoyens ? Ce titre est double : — un certificat constatant qu'il a le contrôle des services publics, des finances et de l'armée, bref un certificat de vie (celui de naissance ou de baptême n'est naturellement pas demandé) — une consultation du premier théologien venu rédigée en termes généraux afin de ménager l'avenir, attestant que tout pouvoir établi vient de Dieu, puisque Dieu a permis qu'il s'établisse. C'est tout.

Nous avons fait ce rêve de mettre l'honneur à la portée de tout le monde, il faut que nous le mettions aussi à la portée des gouvernements. Nous croyons qu'il y a un honneur de la politi-

18*

que, nous croyons non moins fermement qu'il y a une politique de l'honneur, et que cette politique vaut politiquement mieux que l'autre. A reprendre un par un, au cours du dernier demi-siècle, chacun des événements que les imbéciles disent cruciaux, il n'est pas si difficile de se convaincre que l'honneur chrétien eût payé, que c'est le mensonge, la muflerie, la trahison qui ne paient pas, ou qui paient en fausse monnaie. Il est faux que l'honnête homme soit nécessairement berné ici-bas. Et encore la vie humaine est courte. La vie des nations est longue, elle permet d'autres revanches. L'homme d'honneur est même beaucoup moins facilement berné que l'honnête homme, justement parce que sa règle est absolue, qu'il ne saurait commettre la faute habituelle aux honnêtes gens, de s'engager honnêtement dans une entreprise malhonnête, car l'honneur ne connaît pas la justification des moyens par la fin. Nous savons tout cela. Nous savons que s'il existait en Europe un vrai roi au cœur chrétien, trop noble pour daigner user même des prérogatives ou des tolérances que le théologien lui concède, son prestige serait immense. Mais nous savons aussi que la difficulté n'est pas que l'honneur fasse ses preuves, c'est qu'on lui laisse le temps de les faire.

Il faut que ce temps lui soit donné, il faut que ce temps lui soit donné coûte que coûte. Alors que tant de sages croient la tradition chrétienne morte et mort l'homme formé par elle, nous avons la certitude qu'ils ne sont l'un et l'autre qu'endormis. Ce n'est pas leur sommeil que nous avons d'ailleurs à protéger, c'est leur réveil, le réveil à cette heure louche du matin qui favorise toutes les entreprises de l'ennemi. Ce que nous gardons est trop précieux pour que nous nous contentions de surveiller les abords, d'attendre l'assaut toujours possible. Nous nous connaissons bien. Nous ne nous montons pas la tête. Il ne nous viendrait pas à l'esprit de nous croire les égaux de cet homme antique, admirablement proportionné au monde où il vivait, à l'ordre dont il était à la fois débiteur et créancier, l'homme pour qui l'honneur n'était ni une religion, ni même une foi— la vie même — une nourriture aussi simple que sa soupe... Je ne dis pas que cet homme fût un saint ou un héros. Il était comme vous et moi, capable du mal et du bien, de beaucoup de mal ou de beaucoup de bien. Mais ces gens-là, mis ensemble, formaient un peuple, un peuple, non pas un échantillonnage d'individus, non pas des taches de couleur sur du papier, mais un immense tableau d'histoire, avec ses plans de lumière et ses plans d'ombre. Je n'invente rien. Ont-ils fait la France, oui ou non ? L'ont-ils seulement gardée, conservée, ou l'ont-ils faite ? Ils l'ont faite. Ils la faisaient et ne s'en doutaient guère, parce qu'ils étaient de grande race, ils faisaient naturellement de grandes choses, et les faisaient au jour le jour, mouraient sur la tâche quotidienne, tout honteux de ne l'avoir pas achevée.

Mais pourquoi parlerais-je d'eux au passé ? Ils sont là. C'est le travail seulement qui leur manque, nous n'avons pas de travail à leur donner. Ils ne se retrouveraient que dans le travail, dans la besogne et nous les invitons à désirer comme nous. C'est du travail de leurs mains, de la sueur de leur front, qu'ils se sont fait jadis un idéal, encore que ce mot leur fût étranger, mais nous voulons qu'ils commencent par l'idéal, nous les invitons à s'enivrer avec nous de désirs. « C'est pourtant après la moisson, la dernière gerbe rentrée, qu'on se saoule », pensent-ils. Ce ne sont pas des hommes de désir, leur pensée, comme la nôtre, ne court pas en avant de l'action, ainsi qu'une folle vagabonde. « Où est le champ, répondent-ils, où sont les bœufs, la charrue ? » Non, certes, nous ne nous croyons pas les égaux de tels hommes et cependant ils ont besoin de nous. Nous ne pouvons leur rendre ce qu'ils ont perdu, et c'est en vain que nous nous efforcerions de leur rappeler, par des mots, ce qu'ils furent. Tout notre espoir est de créer autour d'eux, d'y maintenir un moment, coûte que coûte, assez de grandeur et d'honneur, de vérité et de justice, pour qu'ils puissent se remettre à la besogne — assez d'air pur.

Nous savons bien que nous ne ferons pas la Chrétienté sans eux. Mais nous nous sentons capables de refaire à nous seuls, le temps qu'il faudra, l'esprit de chrétienté. Si étroite que soit la brèche ouverte, qu'importe ? Rien ne saurait résister à ce qui est derrière nous, pourvu que ce qui est derrière nous s'ébranle...

3 juin 1939.
Vassouras
(*Brésil*).

FIN

ANNEXE I

Lorsque les enfants devenaient des salariés, leur vie de travailleurs différait peu de celle déjà décrite des apprentis. Ils pénétraient dans les grilles des filatures à cinq ou six heures du matin, et en ressortaient au plus tôt à sept ou huit heures du soir, y compris les samedis. Pendant tout ce temps, ils étaient soumis à une température de 24 à 29 degrés. Le seul répit pendant ces quatorze ou quinze heures où ils étaient enfermés était celui des heures de repas — tout au plus une demi-heure pour le petit déjeuner et une heure pour le déjeuner. Mais les repas réguliers étaient le privilège des adultes seulement; pour les enfants, trois ou quatre fois par semaine, c'était uniquement un changement de travail : au lieu de surveiller une machine en marche, ils nettoyaient une machine au repos, attrapant et avalant leur nourriture comme ils le

---

*Histoire des Idées au XX*e *Siècle,* de Bertrand Russell (*N. R. F.*)

pouvaient au milieu de la poussière et de la fumée. Les enfants perdaient vite le goût des repas pris dans la fabrique. La fumée leur étouffait généralement la respiration. Quand ils n'arrivaient pas à l'expectorer, on leur donnait gratuitement des émétiques.

On a souvent décrit comme facile et aisé le travail que ces enfants devaient fournir : presque un amusement en somme, requérant de l'attention, mais non point des efforts. Les trois quarts des enfants étaient des « piecers », c'est-à-dire qu'ils devaient rassembler ou joindre les fils cassés dans les différents boudinoirs et machines à filer. D'autres devaient balayer le coton de rebut ou enlever et remplacer les bobines. Fielden (1794-1849), patron éclairé et humain, député d'Oldham avec Cobbett, qui partage les lauriers dont s'honore la mémoire de Shaftesbury et Sadler, fit une expérience intéressante pour mesurer l'effort physique auquel les enfants étaient astreints. Surpris des rapports des délégués des usines sur le nombre de kilomètres qu'un enfant parcourait par jour à suivre la machine à filer, il en fit l'épreuve dans sa propre fabrique, et trouva à sa grande stupéfaction qu'en douze heures, la distance parcourue atteignait environ trente-deux kilomètres. Il y avait bien de courts intervalles de répit, mais pas de siège, car s'asseoir était contraire aux règles. L'idée de la facilité du travail est exposée excellemment par M. Tufnell, l'un des commissaires de fabrique : « Trois quarts des enfants, dit-il, sont employés comme « piecers » à des « mules » et quand ces « mules » se retirent, il n'y a rien à faire et ils restent inactifs pendant trois quarts de minute. » Il en déduit que si un enfant travaille nominalement douze heures par jour, « pendant *neuf heures il ne fournit aucun travail effectif* », ou si, comme c'est généralement le cas, il surveille deux « mules », « son temps de repos est de six au lieu de neuf heures ».

Les quatorze ou quinze heures de réclusion six jours par semaine étaient les heures « régulières »; dans les moments de grand travail, les heures étaient élastiques et s'étiraient parfois d'une façon incroyable. Le travail de trois heures du matin à dix heures du soir n'était pas inconnu; à la fabrique de M. Varley, on travaillait tout l'été de trois heures trente du matin à neuf heures trente du soir. A la fabrique justement dénommée « la Baie de l'Enfer », deux mois durant, non seulement on travaillait régulièrement de cinq heures du matin à neuf heures du soir, mais en plus deux nuits entières chaque semaine. Les patrons plus humains se contentaient en période de grosse pression d'un travail de seize heures (cinq heures du matin à neuf heures du soir).

Il était physiquement impossible de faire marcher un tel système autrement que par la contrainte de la terreur. Les contremaîtres qui témoignèrent à la Commission de Sadler ne nièrent pas la brutalité de leurs méthodes. Ils disaient que les enfants devaient fournir exactement leur quote-part de travail, ou être congédiés ; dans ces circonstances, la pitié était un luxe que les pères de famille ne pouvaient se payer. Les punitions pour les retardataires le matin devaient être assez cruelles pour surmonter la tentation que les enfants fatigués avaient de rester plus de trois ou quatre heures au lit. Un témoin à la Commission de Sadler avait connu un enfant qui avait regagné sa maison à onze heures du soir, et s'était levé à deux heures le lendemain matin, terrorisé et exténué, pour gagner la porte de la fabrique. Dans certaines usines, il se passait rarement une heure sans le bruit de coups et de cris de douleur. Les pères battaient leurs propres enfants pour les empêcher d'être battus plus atrocement par les contremaîtres. L'après-midi, l'effort était si dur que le lourd bâton de fer, appelé « billy-roll », était employé sans cesse ; et même ainsi, il arrivait fréquemment qu'un petit enfant, s'assoupissant, tombât dans la machine à côté de lui, et était mutilé pour la vie, ou, s'il avait plus de chance, trouvât un Léthé plus profond que ce sommeil qui lui était volé. Ainsi dans une fabrique, dont le propriétaire, M. Gott, ne tolérait que l'usage de la férule, quelques-uns des contremaîtres essayaient de tenir éveillés les enfants, qui travaillaient de cinq heures du matin à neuf heures du soir, en les encourageant à chanter des hymnes. Vers la fin du soir, la souffrance, la fatigue et la tension de l'esprit devenaient insupportables. Les enfants imploraient ceux qui les approchaient de leur dire combien d'heures de travail ils avaient encore. Un témoin raconta à la Commission de Sadler que son enfant, un garçon de six ans, lui disait : « Père, quelle heure est-il ? » Il lui répondait : « Environ sept heures. » Il gémissait : « Oh ! deux heures encore avant neuf heures ? Je ne peux le supporter[1]. »

Quand les détails furent connus, un mouvement d'opinion réclama une loi prohibant les abus les plus épouvantables, dont nous parlerons dans un chapitre ultérieur. Pour le moment, je me contenterai de noter qu'on vota une loi en 1819, mais qu'elle fut inopérante, car l'inspection y était laissée aux soins de magistrats et de prêtres. Au grand soulagement des patrons, l'expérience prouva que les magistrats et les prêtres ne s'opposaient pas à la violation de la loi quand son but était uniquement de torturer les enfants.

Les enfants ne souffraient pas seulement dans les filatures de coton ; ils étaient soumis à des conditions aussi atroces dans les mines. Ainsi,

1. *Le Travailleur de la Ville* (éd. 1932), pp. 157-60.

les ferme-trappes, âgés de cinq à huit ans, « étaient assis dans un petit trou, sur le côté de la porte, et tenaient dans leur main une corde, douze heures durant; ils étaient généralement dans le noir, mais parfois un mineur plus humain leur donnait un bout de bougie ». Une petite fille de huit ans, selon un rapport de la Commission pour l'Emploi des Enfants en 1842, dit : « Je dois ouvrir des trappes sans la moindre lumière et je suis épouvantée. Je vais là à quatre heures et parfois à trois heures et demie du matin, et en sors à cinq ou cinq et demie (l'après-midi). Je ne m'endors jamais. Je chante parfois quand j'ai de la lumière, mais jamais dans le noir : je n'ose pas chanter alors. »

ANNEXE II

Voici le texte de la dédicace de « *L'Enquête sur la Monarchie* » :

OPTUMO SIVE PESSUMO
PEJORI TAMEN ET MELIORI
UTRIQUE NEFANDO
NUMINI VEL MONSTRO
SACRUM

Ce texte n'a été imprimé *in extenso* que dans la première édition. Dans les éditions suivantes, il n'était plus représenté que par les initiales :

O. S. P.
P. T. E. M.
U. N.
N. V. M.
S.

On peut traduire ainsi :

A CELUI ENCORE PIRE OU MEILLEUR
QUE LE MEILLEUR OU QUE LE PIRE
DIEU OU MONSTRE
DONT IL SERAIT ÉGALEMENT NÉFASTE
DE PRONONCER LE NOM
CECI EST CONSACRÉ

Cette dédicace de *l'Enquête* nous a valu une belle page professorale d'explication latine au cours d'une controverse entre M. Ch. Maurras et M. l'abbé Pierre. Cf. *L'Action Française et la Religion Catholique,* Paris, Nouvelle Librairie Nationale, 1913, p. 36 :

« ...la sombre et merveilleuse image qu'il (l'abbé Pierre) s'est faite de nous sort de son cœur à la manière de ces fumerolles de brume qui s'étendent et s'épaississent entre le regard et les choses. Elle a réduit à rien son ancienne habitude de déchiffrer la lettre moulée. Les discours rédigés dans le clair et commun langage français perdent leur sens dans le chemin qui va des yeux à sa pensée; le latin, langue de l'Eglise pourtant, ne lui est pas devenu moins étranger. Dans une épigraphe romaine de ma composition, la phrase qui commence ainsi : *Optumo sive pessumo pejori tamen et meliori* apparaîtrait à tout élève de septième formée d'un superlatif suivi d'un comparatif qui le gouverne; elle serait donc traduite *à la chose* (ou *à l'être*) *encore pire ou meilleur que le meilleur ou que le pire...* Mais la version correcte priverait M. Pierre de l'un de ses plus beaux effets : il ne pourrait plus m'accuser de rédiger une « dédicace blasphématoire à la divinité considérée comme le principe du bien et du mal, ce qui est l'expression la plus formelle et la plus éhontée du nihilisme manichéen »; pour avoir le plaisir de m'asséner toutes ces gracieuses sottises, M. l'abbé Pierre prend la responsabilité de mettre à mon compte l'abject non-sens que voici : *Au très bon ou au très mauvais du moins au pire ou au meilleur...* »

Dans la *Musique Intérieure,* M. Ch. Maurras revient sur cette dédicace dans une pièce de vers intitulée :

OPTUMO SIVE PESSUMO

Essence pire que le Pire
Et meilleure que le Meilleur
Quelle est la langue qui peut dire
Les deux abîmes de ton cœur !

Mais à ce double sanctuaire
Déesse ou *Monstre,* ô seul esprit,
De mon ombre et de ma lumière,
L'unique hommage soit inscrit.

ACHEVÉ D'IMPRIMER SUR LES PRESSES DE L'IMPRIMERIE MODERNE, 177, AVENUE PIERRE-BROSSOLETTE, A MONTROUGE (SEINE), LE DIX JUILLET MIL NEUF CENT CINQUANTE.

Dépôt légal : 16 Décembre 1939
N° d'édition : 2169 — N° d'impression : 1366

Imprimé en France